SERIE DE LA APLICACIÓN DE CIENCIAS

BIOLOGÍA

Biología humana

Annotated Teacher's Edition

Seymour Rosen

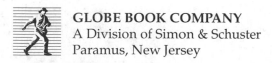

GLOBE BOOK COMPANY
A Division of Simon & Schuster
Paramus, New Jersey

ISBN: 0-8359-0716-3

Printed in the United States of America
1 2 3 4 5 6 7 8 9 10   97 96 95 94 93

CONTENTS

INTRODUCTION TO THE SERIES

Overview

The *Science Workshop Series* consists of 12 softbound workbooks that provide a basic secondary-school science program for students achieving below grade level. General competency in the areas of biology, earth science, chemistry, and physical science is stressed. The series is designed so that the books may be used sequentially within or across each of these science areas.

Each workbook consists of approximately 30 lessons. Each lesson opens with a manageable amount of text for students to read. The succeeding pages contain exercises, many of which include photographs or drawings. The illustrations provide students with answers to simple questions. Phonetic spellings and simple definitions for scientific terms are also included to aid in the assimilation of new words.

The question material is varied and plentiful. Exercises such as *Completing Sentences, Matching,* and *True or False* are used to reinforce material covered in the lesson. An open-ended *Reaching Out* question often completes the lesson with a slightly more challenging, yet answerable question.

Easy-to-do laboratory experiments also are included in some lessons. Not isolated, the experiments are part of the development of concepts. They are practical experiments, which require only easily obtainable, inexpensive materials.

Numerous illustrations and photographs play an important role in the development of concepts as well. The functional art enhances students' understanding and relates scientific concepts to students' daily lives.

The workbook format meets the needs of the reluctant student. The student is given a recognizable format, short lessons, and questions that are not overwhelming. The student can handle the stepwise sequence of question material in each lesson with confidence.

The series meets the needs of teachers as well. The workbooks can either be used for an entire class simultaneously, or since the lessons are self-contained, the books can be used on an individual basis for remedial purposes. This works well because the tone of each book is informal; a direct dialogue is established between the book and the student.

Using the Books

Although each lesson's reading selection may be read as part of a homework assignment, it will prove most effective if it is read during class time. This allows for an introduction to a new topic and a possible discussion. Teacher demonstrations that help to reinforce the ideas stressed in the reading should also be done during class time.

The developmental question material that follows the reading can serve as an ideal follow-up to do in class. The exercises such as *Completing Sentences, True or False* or *Matching* might be assigned for homework or used as a short quiz. The *Reaching Out* question also might be assigned for homework or completed in class to end a topic with a discussion.

Objectives

The aim of the *Science Workshop Series* is to increase the student's level of competency in two areas: *Science Skills* and *Verbal Skills.* The comprehensive skills matrix on page T-2 highlights the science skills that are used in each lesson.

SKILLS MATRIX

Lesson	Identifying	Classifying	Observing	Measuring	Inferring	Interpreting	Predicting	Modeling	Experimenting	Organizing	Analyzing	Understanding Direct and Indirect Relationships	Inductive Reasoning	Deductive Reasoning
1		●	●			●				●				●
2	●	●	●			●				●				●
3	●		●		●	●	●							●
4	●		●			●								●
5		●	●	●		●	●	●	●	●	●			●
6			●		●	●	●							
7		●	●			●				●				
8	●	●	●		●	●	●			●		●		
9	●		●			●								
10		●	●	●	●	●	●	●	●	●	●		●	●
11			●			●								
12	●		●		●	●	●				●			●
13		●	●			●				●				
14			●	●	●	●	●	●	●	●	●	●		
15		●	●			●				●				
16	●		●	●		●		●	●	●	●		●	●
17			●		●	●	●							
18			●		●	●	●				●		●	
19	●		●			●								
20	●		●		●	●	●							●
21	●	●	●			●				●				●
22			●		●	●	●							
23	●		●		●	●	●							
24			●		●	●				●	●			
25			●		●	●	●					●		●
26			●		●	●	●							●
27			●		●	●	●							●
28		●	●		●	●	●			●				
29	●		●		●	●	●							
30		●	●	●		●	●	●	●	●	●			●
31		●	●		●	●	●			●				
32	●		●		●	●	●							●

VERBAL SKILLS

An important objective of the *Science Workshop Series* is to give all students—even those with reading difficulties—a certain degree of science literacy. Reading science materials is often more difficult for poor readers because of its special vocabulary. Taking this into account, each new word is introduced, defined, used in context, and repeated in order to increase its familiarity. The development of the vocabulary word enzyme is traced below to illustrate the usage of science words in the text.

1. The word **enzyme** is first defined and spelled phonetically in Lesson 10 on page 55.
2. The *Fill in the Blank* exercise on page 60 requires students to use the word **enzyme** in context.
3. The experiment on page 61 requires students to review the definition of **enzyme.**
4. The word is reintroduced and used throughout Lesson 11.

This stepwise development allows students to gradually increase their working science vocabulary.

Other techniques used to familiarize students with a specialized vocabulary are less formal and allow the student to have fun while reinforcing what has been learned. Several varieties of word games are used. For example:

- A *Word Scramble* appears on page 73.

- A *Crossword Puzzle* appears on page 154.

LANGUAGE DIVERSE POPULATIONS

Students with limited English proficiency may encounter difficulties with the core material as well as the language. Teachers of these students need to use ample repetition, simple explanations of key concepts, and many concrete examples from the students' world. Relying on information students already possess helps students gain confidence and establishes a positive learning environment.

To help LEP students with language development, it is important to maintain an open dialogue between the students and the teacher. Encourage student participation. Have students submit written and oral reports. After students read a section of the text, have them explain it in their own words. These strategies will help the teacher be aware of problem areas.

CONCEPT DEVELOPMENT

In each book the lessons are arranged in such a way as to provide a logical sequence that students can easily follow. Let us trace the development of one concept from the workbook: *Nutrients are needed by the body.*

Lesson 5 familiarizes students with the definition of nutrient. The five nutrients, carbohydrates, fats, proteins, vitamins, and minerals are defined. In Lesson 6, more emphasis is given to carbohydrates, fats, and proteins. Lesson 7 explains the importance of vitamins and minerals in the diet. Then in Lesson 8, the concept of a balanced diet is explained and students are given the opportunity to plan a balanced diet.

SAFETY IN THE SCIENCE LABORATORY

Many of the lessons in the books of the *Science Workshop Series* include easy-to-do laboratory experiments. In order to have a safe laboratory environment, there are certain rules and procedures that must be followed. It is the responsibility of every science teacher to explain safety rules and procedures to students and to make sure that students adhere to these safety rules.

To help students develop an awareness of safety in the science laboratory, this book has been dedicated to science safety. Safety symbols appear throughout the student edition to alert students to potentially dangerous situations. A list of the safety symbols and what they stand for can be found on page 199.

USING THE TEACHER'S EDITION

The Teacher's Edition of *Biology: Human Biology* has on-page annotations for all questions, exercises, charts, tables, and so on. It also includes front matter with teaching suggestions for each lesson in the book. Every lesson begins with questions to motivate the lesson. The motivational questions relate to the lesson opener pictures and provide a springboard for discussion of the lesson's science concepts. Following the Motivation are a variety of teaching strategies. Suggestions for *Class Activities, Demonstrations, Extensions, Reinforcements,* and *Cooperative/Collaborative Learning* opportunities are given.

If a student experiment is included in the lesson, a list of materials needed, safety precautions, and a short explanation of laboratory procedure are given.

The teacher's edition also includes a two-page test, which includes at least one question from each lesson in the book. The test can be photocopied and distributed to students. It begins on the next page. The test's Answer Key is found below.

RESPUESTAS AL EXAMEN DE REPASO

Contestaciones múltiples

1. b   2. d   3. a   4. b   5. d   6. d   7. c   8. b   9. c   10. d

Completa la oración

1. involuntarios 2. equilibrada 3. capilares 4. bronquios 5. columna vertebral
6. fecundación   7. cirrosis   8. enfisema   9. rojos   10. comportamiento

Cierto o falso

1. falso   2. cierto   3. cierto   4. cierto   5. falso   6. falso   7. falso
8. falso   9. falso   10. cierto

Hacer las correspondencias

1. i   2. f   3. j   4. g   5. h   6. a   7. e   8. b   9. d   10. c

EXAMEN DE REPASO

CONTESTACIONES MÚLTIPLES

En el espacio en blanco, escribe la letra de la palabra o las palabras que completen mejor cada oración.

_____ 1. El lugar donde se unen dos o más huesos se llama
  a) el cartílago.   **b)** una articulación.   **c)** un ligamento.   **d)** la médula.

_____ 2. La respiración es importante porque produce
  a) oxígeno.   **b)** agua.   **c)** dióxido de carbono.   **d)** energía.

_____ 3. La glándula endocrina que controla todas las otras glándulas es la
  a) glándula pituitaria.   **b)** glándula tiroides.   **c)** glándula paratiroides.
  d) glándula suprarrenal.

_____ 4. La parte del sistema reproductor masculino que también es parte del sistema ex cretorio es
  a) el testículo.   **b)** la uretra.   **c)** el conducto deferente.   **d)** el espermazoide.

_____ 5. La marijuana se clasifica como un
  a) estimulante.   **b)** calmante.   **c)** narcótico.   **d)** alucinógeno.

_____ 6. ¿Cuál de estos términos no se refiere a un nutrimento?
  a) carbohidratos   **b)** grasas   **c)** proteínas   **d)** agua

_____ 7. La etapa del ciclo vital humano que se señala por crecimiento rápido es la
  a) infancia.   **b)** niñez   **c)** adolescencia.   **d)** etapa adulta.

_____ 8. ¿El cuerpo puede fabricar cuáles de las siguientes vitaminas?
  a) vitamina A   **b)** vitamina K   **c)** vitamina C   **d)** vitamina B_1

_____ 9. La retina, la pupila, el iris, la córnea y el lente son partes
  a) del oído.   **b)** de la nariz.   **c)** del ojo.   **d)** de la lengua.

_____ 10. Los vellos se encuentran en
  a) la nariz.   **b)** el estómago.   **c)** el hígado.   **d)** el intestino delgado.

COMPLETA LA ORACIÓN

Completa cada oración con un término de la lista. Escribe tus respuestas en los espacios en blanco.

columna vertebral	bronquios	enfisema	blancos
equilibrada	cirrosis	involuntarios	voluntarios
capilares	fecundación	rojos	comportamiento

1. Los músculos que no puedes controlar son _____.

2. Si te alimentas con regularidad de los cuatro grupos alimenticios, tu dieta es _____.

3. Los vasos sanguíneos muy pequeños que unen las arterias y las venas son los _____.

4. Los tubos que van hasta los pulmones son los _____.

5. La médula espinal está protegida por la _____.

6. La es la unión de un espermatozoide y un óvulo _____.

7. Una enfermedad del hígado causada por células del hígado dañadas es la _____.

8. Una enfermedad de los pulmones señalada por la falta de aliento es el _____.

9. Los glóbulos _____ de la sangre transportan oxígeno.

10. La respuesta de un organismo a su medio ambiente se llama el _____.

CIERTO O FALSO

En el espacio en blanco, escribe "Cierto" si la oración es cierta. Escribe "Falso" si la oración es falsa.

_____ **1.** Los tejidos trabajan juntos para formar los órganos.

_____ **2.** Las enzimas son proteínas que controlan las actividades químicas.

_____ **3.** Las arterias llevan la sangre hacia fuera del corazón.

_____ **4.** La piel es parte del sistema excretorio.

_____ **5.** Leer un libro para hacer una tarea escolar es un reflejo.

_____ **6.** El músculo que se encuentra solamente en el corazón es un músculo liso.

_____ **7.** Las hormonas son los mensajeros químicos que regulan las funciones del cuerpo.

_____ **8.** Los carbohidratos, las grasas y las proteínas son minerales.

_____ **9.** Los testículos producen óvulos.

_____ **10.** El uso desacertado de una droga es el abuso de las drogas.

HACER CORRESPONDENCIAS

Empareja el término de la Columna A con su descripción en la Columna B. Escribe la letra en el espacio.co.

Columna A	**Columna B**
_____ 1. la adolescencia	**a)** parte líquida de la sangre
_____ 2. la digestión	**b)** droga que acelera los sistemas del cuerpo
_____ 3. la excreción	**c)** comportamiento aprendido que se hizo automático
_____ 4. la médula	**d)** grupo de células parecidas que trabajan juntas para realizar una función específica
_____ 5. un nutrimento	**e)** proceso de transportar el oxígeno a las células, expeler los desechos y proporcionar la energía
_____ 6. el plasma	**f)** proceso en que los alimentos se transforman en las formas que el cuerpo puede utilizar
_____ 7. la respiración	**g)** parte del cerebro que controla el ritmo de la pulsación y de la aspiración
_____ 8. un estimulante	**h)** sustancia química que el cuerpo necesita
_____ 9. el tejido	**i)** tiempo del desarroll. de caracteres sexuales secundarios
_____ 10. una costumbre	**j)** proceso de expeler los desechos del cuerpo

LECCIÓN 1
¿Qué son los tejidos y los órganos? (páginas 1 a 6)

Motivation Refer students to the lesson opener picture on page 1 and ask the following questions:

1. ¿Qué muestran los dibujos?

2. ¿Cuáles de los tejidos y los órganos pueden nombrar?

Discussion To provide motivation for this lesson, ask students to name their favorite team sports and their favorite teams. Ask students how they know which players are on the same team. Elicit the response that players on the same team wear the same uniform. The players work together. Then make an analogy between sports teams and tissues. Point out that a tissue is made up of a group of cells that look alike and work together.

Class Activity Miren los portaobjetos de los cuatro tipos de tejidos. Dibujen los distintos tejidos en sus libertas. Luego, identifiquen las células individuales.

Discussion Review the definition of tissue. Then list several body organs on the chalkboard. Point out that each organ listed consists of several different tissues. Develop the concept that organs are made of different kinds of tissues which work together to do a job.

Reinforcement Challenge the class to list a number of animal organs and to identify the kinds of tissues found in each organ.

LECCIÓN 2
¿Qué es un sistema de órganos? (páginas 7 a 12)

Motivation Refer students to the lesson opener picture on page 7 and ask the following questions:

1. ¿Qué muestran los dibujos?

2. ¿Qué sistemas de órganos pueden nombrar?

Reinforcement You may wish to develop flash cards to help students review organ systems. On the front side of index cards, write the names of each organ system. On the other side of the cards, write the major organs that make up each system. Hold up each card in front of the class.

Show students the slides listing the major organs. Have students identify the organ system.

LECCIÓN 3
¿Qué es el sistema esquelético? (páginas 13 a 18)

Motivation Refer students to the lesson opener picture on page 13 and ask the following questions:

1. ¿Qué muestran los dibujos?

2. ¿Por qué es importante el sistema esquelético?

Class Activity Hagan un diagrama del sistema esquelético y colóquenlo en el tablero de anuncios. Preparen etiquetas con los nombres científicos y populares de los huesos principales y colóquenlas en el diagrama.

Reinforcement Remind students that animals are divided into two large groups, vertebrates and invertebrates. Explain that some invertebrates have soft bodies and others have exoskeletons. Have students recall that vertebrates have an endoskeleton.

Class Activity Primero, toquen los huesos de las rodillas y el puente de la nariz y descríbanlos. Ahora, toquen la punta de la nariz y los oídos externos y descríbanlos. La punta de la nariz y el oído externo consisten en cartílago. El cartílago es un tejido conjuntivo fuerte y elástico.

Demonstration If possible, point out the bones of the body on a skeleton. Point out some small bones, such as the finger bones, and some large bones, such as the femur. Stress that although bones have many different shapes and sizes, all bones have a similar structure.

Class Activity Mientras ustedes leen sobre las cuatro clases de articulaciones movibles, ubíquenlas en sus cuerpos.

LECCIÓN 4
¿Qué es el sistema muscular? (páginas 19 a 24)

Motivation Refer students to the lesson opener picture on page 19 and ask the following questions:

1. ¿Por qué son importantes los músculos?

2. ¿Dónde se encuentran los músculos en el cuerpo?

Class Activity Van a decorar el tablero de anuncios. Primero, busquen o hagan dibujos de los diferentes tejidos musculares: el músculo esquelético, el liso y el cardíaco. Coloquen los dibujos en el tablero de anuncios y preparen etiquetas que los identifiquen.

Discussion Describe the three kinds of muscle tissue. Emphasize that many internal organs are made up of muscle. Students may tend to think of muscle tissue only in terms of skeletal muscle.

Class Activity Miren los portaobjetos de los tres tipos de tejidos musculares. Dibujen los distintos tejidos en sus libretas. Luego, rotulen cada clase de músculo. Fíjense en los músculos esqueléticos y cardíaco. ¿Son lisos o estriados?

LECCIÓN 5
¿Qué son los nutrimentos? (páginas 25 a 30)

Motivation Refer students to the lesson opener picture on page 25 and ask the following questions:

1. ¿Qué muestra el dibujo?

2. ¿Qué son los nutrimentos?

Discussion To introduce this lesson, ask students what fuel provides the energy a car needs to run. Then compare the human body to a car. Point out that the body also needs fuel to run. Elicit from students that food is the body's fuel. Define nutrients as the chemical substances in food that are needed for growth and energy.

Class Activity Traigan a la clase tres etiquetas de los envases de tres alimentos diferentes. En sus etiquetas, dibujen un círculo alrededor de cada nutrimento y la cantidad de éste . . . Ahora, vamos a comparar todas las etiquetas. ¿Cuáles de los alimentos son ricos en nutrimentos? ¿Cuáles de los alimentos tienen pocos nutrimentos?

LECCIÓN 6
¿Qué son los carbohidratos, las grasa y las proteínas? (páginas 31 a 37)

Motivation Refer students to the lesson opener picture on page 31 and ask the following questions:

1. ¿Cuáles son algunos alimentos que contienen carbohidratos?

2. ¿Cuáles son algunos alimentos que contienen proteínas?

Extension Most fats that are solid at room temperature are saturated fats. Polyunsaturated fats usually are liquids at room temperature. Point out to students that saturated fats raise the level of cholesterol in the blood, which increases the risk of cardiovascular problems. Saturated fats are most often found in animal products.

Reinforcement Be sure students understand that proteins are broken down into amino acids in the digestive system. The blood transports the amino acids to body cells where protein synthesis takes place. Many students have difficulty understanding this concept.

LECCIÓN 7
¿Qué son las vitaminas y los minerales? (páginas 39 a 46)

Motivation Refer students to the lesson opener picture on page 39 and ask the following questions:

1. ¿Qué vitaminas pueden nombrar?

2. ¿Qué minerales pueden nombrar?

Reinforcement Be sure students understand that vitamins do not supply the body with energy. Students often mistakenly think of vitamins as energy sources.

Extension You may wish to tell students that the body uses ultraviolet rays from the sun to make vitamin D. Vitamin K is made in the large intestine with the help of bacteria that inhabit the intestine.

Extension You may wish to point out that iron-deficiency anemia is very common in teenage girls because of poor eating habits and the loss of some iron during menstruation. Emphasize the importance of eating foods with a lot of iron.

LECCIÓN 8
¿Qué es una dieta equilibrada? (páginas 47 a 50)

Motivation Refer students to the lesson opener picture on page 47 and ask the following questions:

1. ¿Qué muestra el dibujo?

2. ¿Tienen ustedes una dieta equilibrada?

Discussion Discuss the meaning of a balanced diet. Point out that a balanced diet contains the proper amounts of nutrients. Emphasize that a balanced diet is essential for good health. Tell students that they should use the basic food groups as a guide to good eating.

Class Activity Escriban el nombre de un alimento en su tarjeta y entréguenme las tarjetas . . . Ahora, voy a leer en voz alta el nombre de cada alimento que escribieron. Díganme a qué grupo alimenticio pertenece cada uno de los alimentos.

Extension You may wish to give students the Recommended Daily Servings from the four food groups: Dairy group: 2-3 servings (children), 4 servings (teenagers), 2 servings (adults); Meat group: 2 servings; Vegetable-fruit group: 2 servings; Bread-cereal group: 4 servings.

LECCIÓN 9
¿Cómo se digieren los alimentos? (páginas 51 a 56)

Motivation Refer students to the lesson opener picture on page 51 and ask the following questions:

1. ¿Qué órganos forman el sistema digestivo?

2. ¿Por qué es importante la digestión?

Discussion Refer students to Figure A on p. 53. Have students locate each organ of the digestive system as you describe the path of food through the digestive tract. Be sure students understand the difference between the digestive tract and the digestive system. Point out that the liver, pancreas, and gall bladder are part of the digestive system but not of the digestive tract.

Demonstration Demonstrate peristalsis with a piece of rubber tubing and a marble. Place the marble in the rubber tubing. Then move the marble through the tubing by squeezing behind it.

LECCIÓN 10
¿Cómo ayudan la diestión las enzimas? (páginas 57 a 64)

Motivation Refer students to the lesson opener picture on page 57 and ask the following questions:

1. ¿Qué enzimas pueden nombrar?

2. ¿Por qué son importantes las enzimas?

Reinforcement Be sure students understand that enzymes control chemical reactions in all parts of the body, not just in the digestive system Remind students that enzymes are proteins.

Reinforcement Display a wall chart showing the liver, gall bladder, stomach, pancreas, and small intestine. Point out that the liver is the largest and one of the most important organs in the body.

Demonstration Place some water and vegetable oil in a jar. Students will observe that the substances do not mix. Then add a detergent to the jar and shake the jar. Ask students to describe what happens. Relate this demonstration to the action of bile on fats.

LECCIÓN 11
¿Qué es la absorción? (páginas 65 a 68)

Motivation Refer students to the lesson opener picture on page 65 and ask the following questions:

1. ¿Dónde sucede la absorción?

2. ¿Por qué es importante la absorción?

Discussion Remind students that organisms need food for growth, repair, and energy. Have students recall that nutrients are needed by body cells. Elicit from students that if nutrients remained in the small intestine, they would do the body no good. Emphasize the importance of absorption.

Reinforcement After students have completed this lesson, review the digestive system and the entire digestive process. Refer students back to the diagram of the digestive system on p. 53. Describe the digestive processes that occur in each organ. Stress the roles of the pancreas, liver, and gall bladder in digestion. Describe absorption in the small intestine. Finally, discuss what occurs in the large intestine.

LECCIÓN 12
¿Qué es el sistema circulatorio? (páginas 69 a 74)

Motivation Refer students to the lesson opener picture on page 69 and ask the following questions:

1. Además de la sangre, ¿qué otra cosa se transporta en el sistema circulatorio?

2. ¿Por qué es importante la circulación?

Discussion Describe the characteristics of arteries, veins, and capillaries. Emphasize that capillaries are the blood vessels through which the exchange of materials takes place.

Reinforcement To help students remember that arteries carry blood away from the heart, tell them to associate the two words beginning with the letter a, artery and away.

Class Activity Ahora, van a tomarse el pulso. Coloquen el dedo índice y el dedo corazón en la muñeca al lado del dedo pulgar. Cuando puedan sentir las pulsaciones, cuéntenlas por un minuto. Anoten el pulso en sus libretas.

LECCIÓN 13
¿De qué se forma la sangre? (páginas 75 a 80)

Motivation Refer students to the lesson opener picture on page 75 and ask the following questions:

1. ¿Cuáles son los tres tipos de glóbulos de la sangre?

2. ¿Qué porcentaje de la sangre es líquida?

Discussion Discuss the functions of blood. Emphasize that blood is a tissue which is part solid and part liquid. Describe the liquid and solid parts of blood. As you describe each part, list it on the chalkboard.

Class Activity Miren los portaobjetos preparados de la sangre. En sus libretas, dibujen los glóbulos que observan y rotúlenlos.

LECCIÓN 14
¿Cómo funciona el corazón? (páginas 81 a 88)

Motivation Refer students to the lesson opener picture on page 81 and ask the following questions:

1. ¿Qué muestran los dibujos?

2. ¿Por qué es importante el corazón?

Discussion Tell students to make a fist and to place it in the center of their chest. Explain to students that the heart is a muscular organ, about the size of a fist, which is found in the center of the chest. Describe the structure of the heart.

Reinforcement Have students study the diagram of the heart on p. 83. Tell students to locate the right and left atria and ventricles. Be sure students understand that as they look at the diagram, the heart's left side is on their right and vice versa.

Discussion Describe the function of heart valves. Compare the action of a heart valve to a one-way door.

Class Activity Usen el estetoscopio para escuchar los latidos del corazón.

Reinforcement Some students may have the misconception that blood returning to the heart is blue. Emphasize that blood returning to the heart is red. It is never blue. You may wish to tell students that veins appear blue because of the way light passes through the skin.

LECCIÓN 15
¿Qué son la aspiración y la respiración? (páginas 89 a 94)

Motivation Refer students to the lesson opener picture on page 89 and ask the following questions:

1. ¿Qué muestran los dibujos?

2. ¿Por qué es importante la aspiración?

Class Activity Coloquen las manos sobre las costillas mientras aspiran. ¿Qué sucede a las costillas cuando inspiran o inhalan? ¿cuando espiran o exhalan? Fíjense en como las costillas se mueven hacia afuera cuando inhalan y se mueven hacia adentro cuando exhalan. Al mismo tiempo, el diafragma se mueve hacia abajo cuando inhalan y hacia arriba cuando exhalan.

Reinforcement Emphasize the interaction of the circulatory system and respiratory system. Remind students of the importance of pulmonary circulation.

LECCIÓN 16
¿Qué es el sistema repiratorio? (páginas 95 a 100)

Motivation Refer students to the lesson opener picture on page 95 and ask the following questions:

1. ¿En qué se parece un globo a los pulmones?

2. ¿Por qué es importante la respiración?

Discussion Describe what happens to air before it reaches the lungs. Discuss the functions of nasal hairs, mucus, and cilia. Point out that in addition to being filtered before it reaches the lungs, air also is warmed and moistened.

Extension You may wish to tell students that the bronchi divide into many small tubes called bronchioles.

Reteaching Option Ask students to name the parts of the body that help them to breathe. Write all correct answers on the chalkboard. Fill in any parts of the respiratory system that students omit. Then describe the path air takes on its journey through the respiratory system.

LECCIÓN 17
¿Qué es la exreción? (páginas 101 a 104)

Motivation Refer students to the lesson opener picture on page 101 and ask the following questions:

1. ¿Cuál es la función de los riñones?

2. ¿Por qué es importante la excreción?

Discussion Describe the parts of the excretory system. Some students may tend to think of only the kidneys and urinary system as excretory organs. Emphasize that the skin, the lungs, and the large intestine also get rid of body wastes.

LECCIÓN 18
¿Qué es el sistema exretorio? (páginas 105 a 112)

Motivation Refer students to the lesson opener picture on page 105 and ask the following questions:

1. ¿Cómo se usa la piel para la excreción?

2. ¿Cómo se usan los pulmones para la excreción?

Discussion To provide motivation for this lesson, ask students when people tend to perspire a lot. Elicit the response that people perspire when they are hot. Then describe how perspiring helps the body to keep cool, in addition to ridding the body of waste water and salts.

Extension You may wish to tell students that the tiny tubes inside the kidneys are called nephrons. Emphasize that the nephrons are the functional units of the kidneys.

Discussion Refer students to the diagram of the urinary system on p. 107. Have students trace the movement of urine through the urinary system from the kidneys to the outside of the body.

LECCIÓN 19
¿Qué son los órganos do los sentidos? (páginas 113 a 118)

Motivation Refer students to the lesson opener picture on page 113 and ask the following question:

1. ¿Cuáles son los órganos de los cinco sentidos?

Class Activity Miren a su alrededor. Describan lo que ven, lo que oyen, lo que huelen, lo que se sienten o tocan y los sabores que perciben . . . Ahora, fíjense en la lista. ¿Cuáles son los órganos que emplearon para describir el ambiente? . . . Los ojos, los oídos, la nariz, la piel y la lengua son órganos de los sentidos. Nos ayudan a recoger información sobre nuestros alrededores. Cada órgano dc los sentidos no funciona por sí solo sino que trabaja con los otros órganos, como unidad integral.

Class Activity Primero, escojan a un compañero o a una compañera. Por turnos, observen las pupilas de su pareja. Cierren los ojos por un minuto. Observen lo que hacen las pupilas cuando se abren los ojos.

Extension You may wish to point out that the ears also function in maintaining balance. Point out that there are three looped tubes in the inner ear called semicircular canals. The tubes are filled with a liquid. Balance is affected by the movement of the liquid in the tubes.

LECCIÓN 20
¿Qué es el sistema nerviso? (páginas 119 a 124)

Motivation Refer students to the lesson opener picture on page 119 and ask the following questions:

1. ¿Qué es lo que protege la columna vertebral?

2. ¿En qué consiste el sistema nervioso?

Discussion Draw and label a neuron on the chalkboard. Point out the parts of a neuron and describe the function of each part. Emphasize that the neuron is the unit of structure and function in the nervous system.

LECCIÓN 21
¿Cuáles son las partes del cerebro? (páginas 125 a 129)

Motivation Refer students to the lesson opener picture on page 125 and ask the following questions:

1. ¿Qué partes del cerebro pueden nombrar?

2. ¿Por qué es importante el cerebro?

Demonstration If possible, show students a model of the brain. Point out the cerebrum, the cerebellum, and the medulla on the model.

Extension You may wish to tell students that the cerebrum is divided into two halves and that each half controls the opposite side of the body. The left half of the cerebrum is usually dominant over the right, which explains why most people are right-handed. Ask students which half of the cerebrum they think is dominant in people who are left-handed.

LECCIÓN 22
¿Qué es un reflejo? (páginas 131 a 136)

Motivation Refer students to the lesson opener picture on page 131 and ask the following questions:

1. ¿Qué reflejos pueden nombrar?

2. ¿Por qué son importantes los reflejos?

Demonstration Demonstrate the knee-jerk reflex by tapping a volunteer's knee with a little rubber mallet.

Reinforcement Have students draw a reflex arc showing what would happen if a person stuck his or her finger with a pin. Tell students to use the diagram of a reflex arc on p. 133 as a guide. Be sure students understand that the spinal cord, not the brain, controls reflexes.

LECCIÓN 23
¿Qué es el sistema endocrino? (páginas 137 a 142)

Motivation Refer students to the lesson opener picture on page 137 and ask the following questions:

1. ¿Qué muestran los dibujos?

2. ¿Cuáles de las hormonas pueden nombrar?

Discussion Introduce this lesson by having students recall what they learned about saliva and perspiration in Lessons 10 and 18, respectively. Remind students that saliva is produced by salivary glands and perspiration is produced by sweat glands. Define glands as organs that make chemical substances used or released by the body. Point out that sweat glands and salivary glands have ducts. Compare glands with ducts to endocrine glands. Explain that together the endocrine glands make up the endocrine system. Then have students locate the glands that make up the endocrine system in Figure A on p. 139.

Reinforcement Guide students to understand how the endocrine system is regulated by making an analogy between a thermostat and the hypothalamus.

Discussion You may wish to introduce students to some of the various hormones produced by the endocrine system. Draw an outline of the human body on the chalkboard. Draw in the endocrine glands at their approximate locations in the body. Next to each organ, write the names of the hormones it produces. Describe the functions of the various hormones.

LECCIÓN 24
¿Que es el comportamiento? (páginas 143 a 148)

Motivation Refer students to the lesson opener picture on page 143 and ask the following question:

1. ¿Qué es el comportamiento?

Discussion Write the following actions on the chalkboard: coughing, swallowing, sneezing, blinking, reading, talking, playing baseball, writing. Ask students which of the actions involve learning and thought and which of the actions cannot be controlled. Discuss student responses. Guide students to understand that coughing, swallowing, sneezing, and blinking are automatic responses, or reflexes. Point out that reflexes also are called innate behaviors. Explain that behaviors such as reading, talking, playing baseball, and writing require learning and are called learned behaviors.

Discussion Ask students how they learned to read, tie their shoes, ride a bicycle, and so on. Discuss all student responses. Guide students to understand that learned behaviors must be practiced.

LECCIÓN 25
¿Cómo aprendes? (páginas 149 a 154)

Motivation Refer students to the lesson opener picture on page 149 and ask the following question:

1. ¿Qué método emplean ustedes para aprender?

Discussion Describe the ways in which people learn. Have students relate examples of how they have learned by trial and error, memorizing, reasoning, and reward and punishment.

Cooperative/Collaborative Learning Have any students who have taught their pets "tricks" describe how they trained the animals.

Discussion Ask students what rewards and punishments affect their behavior. Discuss all student responses.

LECCIÓN 26
¿Cuáles son los órganos reproductores? (páginas 155 a 162)

Motivation Refer students to the lesson opener picture on page 155 and ask the following questions:

1. ¿Qué muestran los dibujos?

2. ¿Por qué es importante la reproducción?

Reinforcement Emphasize that the ovaries are the main organs of the female reproductive system. Point out that the ovaries produce both hormones and egg cells. You may wish to tell students that estrogen and progesterone are the two hormones produced by the ovaries.

Reinforcement Emphasize that in males, the urethra is part of the excretory system and the reproductive system. Point out that both urine and sperm exit the body through the urethra in males. Be sure students understand that in females the urinary and reproductive systems are completely separate.

Extension You may wish to tell students that the hormone testosterone is responsible for the development of secondary sex characteristics in males.

Reinforcement You may wish to review the menstrual cycle. Point out that ovulation and menstruation are the main occurrences of the menstrual cycle. Tell students that all females have different menstrual cycles, although most are between 28 and 32 days.

LECCIÓN 27
¿Cómo sucede la fecundación? (páginas 163 a 170)

Motivation Refer students to the lesson opener picture on page 163 and ask the following questions:

1. ¿Qué muestran los dibujos?

2. ¿Qué pasaría si no sucediera la fecundación?

Discussion Write the following heads on the chalkboard: Zygote, Embryo, Fetus. Distinguish between these three stages of embryonic development. Have students copy the information in their notebooks under the appropriate heads.

Extension Bring in an ad for a brand of cigarettes that contains the Surgeon General's warning that smoking by pregnant women may result in fetal injury, premature birth, and low birth weight. Emphasize that everything that enters a pregnant woman, including harmful substances such as drugs, alcohol, and tobacco, cross the placenta and affect the developing embryo.

Cooperative/Collaborative Learning Have a volunteer explain to the class the process of development from fertilization to birth.

LECCIÓN 28
¿Cuáles son las etapas del desarrollo humano? (páginas 171 a 176)

Motivation Refer students to the lesson opener picture on page 171 and ask the following questions:

1. ¿Cuáles son las etapas del desarrollo humano?

2. ¿En qué etapa están ustedes?

Discussion To introduce the lesson, define the development of an organism as its life cycle. Then ask students to name the stages of the human life cycle. List students' responses on the chalkboard. Add to the list any of the five stages that students do not mention. Then describe the events that characterize each stage.

Reinforcement Emphasize that many of the traits characterizing old age are lessened by maintaining a healthful lifestyle throughout a person's entire life. Stress to students that decisions they make today will influence their future health. Encourage students to avoid tobacco and alcohol, and to exercise on a regular basis.

Cooperative/Collaborative Learning Have any students with infant siblings describe the learning processes they have observed in their baby brothers and sisters for the rest of the class.

LECCIÓN 29
¿Qué significa la buena salud? (páginas 177 a 180)

Motivation Refer students to the lesson opener picture on page 177 and ask the following question:

1. ¿Cuál es su definición de la buena salud?

Discussion Ask students what they think is important for maintaining good health in addition to a proper diet. List student responses on the chalkboard. If students do not mention weight control, exercise, or rest, add these to the list on the chalkboard. Then discuss why each is important for maintaining good health.

Extension Ask students to describe how they feel when they do not get enough sleep. Discuss student responses. Emphasize that getting proper rest is essential for a person's well-being.

Discussion Students at this age are often preoccupied with their weight. Explain what is meant by an eating disorder. Write the terms anorexia nervosa and bulimia on the chalkboard. Ask students to describe what they know about each of these disorders. Discuss student responses. Emphasize that both of these eating disorders can be fatal.

LECCIÓN 30
¿Cuáles son los efectos so las drogas en el cuerpo? (páginas 181 a 186)

Motivation Refer students to the lesson opener picture on page 181 and ask the following questions:

1. ¿Qué drogas o medicamentos pueden nombrar?

2. ¿Son dañinas todas las drogas?

Discussion Discuss some of the beneficial uses of drugs, as well as the problem of drug abuse. Emphasize the devastating effect drug abuse has on a person's life.

Class Activity Nombren todas las drogas o todos los medicamentos que puedan comprarse en las tiendas sin receta del médico . . . Ahora, miren la lista. Vamos a clasificar estos medicamentos de acuerdo con su uso, por ejemplo, analgésico (para aliviar el dolor), antihistamínico, antiacídico y así por el estilo.

Extension Arrange for a speaker from a drug rehabilitation program to talk to your class. An ex-abuser's discussion of his or her own personal experience may have a dramatic effect on young people's attitudes toward drugs.

LECCIÓN 31
¿Cuáles son los efectos de alcohol en el cueprpo? (páginas 187 a 191)

Motivation Refer students to the lesson opener picture on page 187 and ask the following questions:

1. ¿Cuáles son los efectos de alcohol en el cuerpo?

2. ¿Cómo influye el alcohol en la capacidad para conducir un coche?

Discussion Remind students that alcohol is a depressant. Point out that although many people think alcohol is a stimulant, it actually slows down the action of the central nervous system. Ask students to recall the name of the control center of the brain. Explain to students that alcohol greatly affects the cerebrum. When alcohol enters the cerebrum, coordination and judgement are impaired and reaction time is slowed.

Reinforcement Emphasize the dangers of drinking and driving. Alcohol-related car accidents are the leading cause of death of young people.

Extension You may wish to tell students that in addition to harming the liver, heavy drinking also can damage the linings of the esophagus, stomach, and small intestine, as well as the heart and the kidneys.

LECCIÓN 32
¿Cuáles son los efectos de tabaco en el cuerpo? (páginas 193 a 198)

Motivation Refer students to the lesson opener picture on page 193 and ask the following questions:

1. ¿Tiene un efecto el fumar en los que no fuman?

2. ¿Es fumar una forma de contaminar el aire?

Reinforcement Before beginning this lesson, review the functions of the cilia and air sacs found in the respiratory system.

Discussion Discuss the reasons people smoke. Ask students how they think peer pressure is involved in the decisions of young people to start smoking. Encourage students to respond to each other's comments.

SERIE DE LA APLICACIÓN DE CIENCIAS

BIOLOGÍA

Biología humana

Seymour Rosen

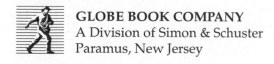

GLOBE BOOK COMPANY
A Division of Simon & Schuster
Paramus, New Jersey

THE AUTHOR

Seymour Rosen received his B.A. and M.S. degrees from Brooklyn College. He taught science in the New York City School System for twenty-seven years. Mr. Rosen was also a contributing participant in a teacher-training program for the development of science curriculum for the New York City Board of Education.

Cover Photograph: Dirk Gallian/Nawrocki Stock Photo
Photo Researcher: Rhoda Sidney

Photo Credits:

p. 23, Fig. E: Alan Oransky/Stock, Boston
p. 30, Fig. C: Rhoda Sidney
p. 38: Rhoda Sidney
p. 41, Fig. A: Glyn Cloyd
p. 41, Fig. B: Glyn Cloyd
p. 41, Fig. C: Glyn Cloyd
p. 41, Fig. D: Glyn Cloyd
p. 41, Fig. E: Glyn Cloyd
p. 41, Fig. F: Glyn Cloyd
p. 43, Fig. G: Rhoda Sidney
p. 43, Fig. H: Helena Frost
p. 44, Fig. I: Helena Frost
p. 44, Fig. J: Beryl Goldberg
p. 56, Fig. C: Helena Frost
p. 109, Fig. D: Biophoto/Photo Researchers
p. 130: Ulrike Welsch/Photo Edit
p. 161, Fig. F: Don W. Fawcett/
      Photo Researchers
p. 161, Fig. G: Photo Researchers
p. 167, Fig. E: Omikron/Photo Researchers
p. 168, Fig. J: Peter Menzel/Stock, Boston

p. 173, Fig. A: Elizabeth Crews/Stock, Boston
p. 173, Fig. B: Paul Conklin/Monkmeyer Press
p. 174, Fig. C: Bob Daemmrich/Stock, Boston
p. 175, Fig. D: Spencer Grant/Monkmeyer Press
p. 175, Fig. E: Robert Kalmna/The Image Works
p. 179, Fig. B: Rhoda Sidney/Photo Edit
p. 179, Fig. C: Rhoda Sidney
p. 179, Fig. D: Gale Zucker/Stock, Boston
p. 179, Fig. F: Rhoda Sidney
p. 183, Fig. B: Grant LeDuc/Monkmeyer Press
p. 183, Fig. E: Annie Hunter/The Image Works
p. 184, Fig. D: Bill Bachman/Photo Researchers
p. 184, Fig. F: M. Antman/The Image Works
p. 186, Fig. G: M. Antman/The Image Works
p. 190, Fig. C: A. Glauberman/SS/Photo
      Researchers
p. 191, Fig. D: W. Marc Bernsau/The Image
      Works
p. 192: Peter Southwick/Stock, Boston
p. 198, Fig. B: Thelma Shumsky/The Image
      Works

ISBN: 0-8359-0707-4

Printed in the United States of America   10   9   8   7   6   5   4   3   2   1   97   96   95   94   93

Globe Book Company
A Division of Simon & Schuster
Paramus, New Jersey

ÍNDICE

REGULACIÓN

REPRODUCCIÓN HUMANA

SALUD HUMANA

Introducción a la Biología humana

¿Puedes pensar en una máquina que quema el combustible para calor y energía y que tiene una bomba tan fuerte que funciona año tras año sin parar? ¿Es un coche? ¿Un motor? ¡No! ¡Es el cuerpo humano!

Un ser humano puede hacer muchas cosas, desde correr en un maratón hasta soñar con viajar al espacio interplanetario. Pero algunas de las cosas más maravillosas suceden dentro del cuerpo. Esta "máquina" tan trabajadora puede luchar contra los gérmenes invasores. Puede transformar las complejas sustancias químicas de los alimentos en sustancias simples. Transporta materiales importantes de un lugar a otro. También envía mensajes de un lugar a otro. Y la mayoría de estas actividades ocurren mientras duermes, trabajas o miras la televisión.

En este libro aprenderás sobre cómo planificar comidas equilibradas. También aprenderás sobre qué hace el cuerpo con sustancias extrañas, tales como las drogas, el alcohol y el tabaco.

Sin embargo, y aún más importante, aprenderás sobre qué efectos tendrán en tu cuerpo las decisiones que tomas hoy.

¿Qué son los tejidos y los órganos?

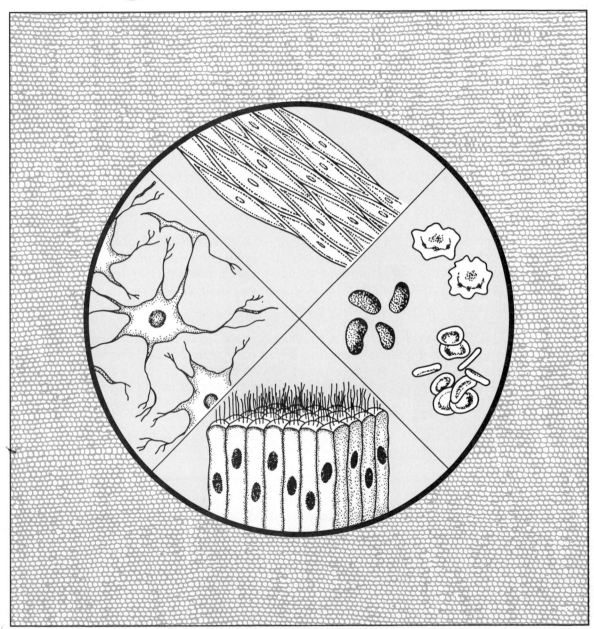

órganos: grupos de tejidos que se unen para realizar una función específica

células especializadas: células que se parecen en tamaño y en forma

tejidos: grupo de células parecidas que trabajan juntas para realizar una función específica

LECCIÓN 1 | ¿Qué son los tejidos y los órganos?

Un coche tiene muchas partes. Cada parte realiza una función especial. Todas las partes tienen que trabajar juntas para que funcione bien el coche.

En algunas formas, el cuerpo se parece al coche. El cuerpo tiene muchas partes. Estas partes trabajan juntas para que tú funciones bien.

Como sabes, el cuerpo se forma de billones de células. Estas células se parecen en ciertas maneras. Pero no todas las células son iguales. Tienen diferentes tamaños y formas. Distintas clases de células tienen distintas funciones. Son **células especializadas.** Las células especializadas se parecen en tamaño y en forma. Las formas de la mayoría de las células les ayudan a realizar sus funciones.

La función de una célula especializada sólo se puede realizar por esta clase de célula. Ninguna de las otras células puede tener esa función. Por ejemplo, solamente las células nerviosas pueden transmitir y recibir mensajes. Solamente las células de los músculos pueden hacer mover los huesos.

LOS TEJIDOS En organismos de muchas células, las células funcionan como equipos, igual que los jugadores de un equipo de béisbol. Forman grupos de células especializados que se llaman **tejidos.** Un tejido es un grupo de células parecidas que trabajan juntas para realizar una función especial.

En los seres humanos hay cuatro clases principales de tejidos. Éstas incluyen el tejido epitelial, el tejido nervioso, el tejido conjuntivo y el tejido muscular.

LOS ÓRGANOS Los grupos de células que trabajan juntas forman los tejidos. Los diferentes tejidos también trabajan "en equipo". Los grupos de tejidos que se unen para hacer una tarea específica son los **órganos.**

Hay muchos órganos en el cuerpo. El corazón es un órgano. Impulsa la sangre por todo el cuerpo. El corazón es un órgano de la circulación. La nariz, la tráquea y los pulmones son órganos también. Estos órganos se usan para la respiración. También hay órganos de los sentidos. Los órganos de los sentidos te indican lo que pasa tanto dentro del cuerpo como fuera del cuerpo.

LOS TEJIDOS Y LOS ÓRGANOS

Emplea lo que has leído hasta este punto para contestar las preguntas que siguen.

1. ¿Qué se unen para formar los tejidos? ___las células que se parecen___

2. Nombra las cuatro clases de tejidos dentro del cuerpo humano.___epitelial___, ___nervioso___, ___muscular___ y ___conjuntivo___.

3. ¿Qué se unen para formar los órganos? ___grupos de tejidos___

LOS TEJIDOS HUMANOS Y SUS FUNCIONES ESPECIALES

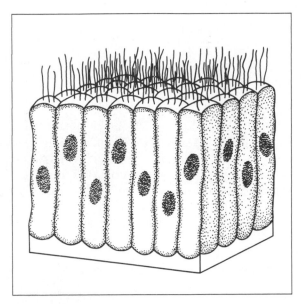

Figura A

EL TEJIDO EPITELIAL es un tejido que cubre. Está hecho de células que se unen de forma muy apretada. La piel se forma de tejido epitelial. El tejido epitelial cubre los órganos dentro y fuera del cuerpo. Sirve para evitar que entren los gérmenes y también te protege de heridas.

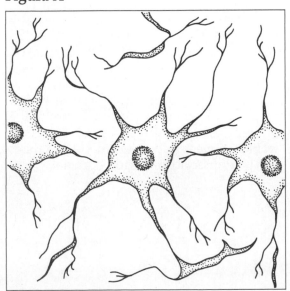

Figura B

EL TEJIDO NERVIOSO consiste en células nerviosas. Transmite y recibe mensajes. El tejido nervioso nos permite responder a los <u>estímulos</u>, o sea, los cambios a nuestro alrededor. El tejido nervioso responde a cambios dentro y fuera del cuerpo.

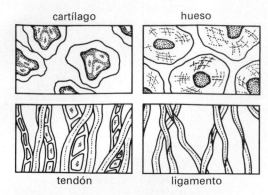

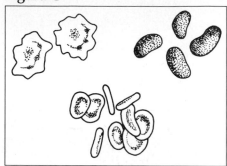

Figura C

EL TEJIDO CONJUNTIVO apoya al cuerpo y une las partes. El tejido conjuntivo también ayuda a proteger el cuerpo.

Huesos, cartílago, tendones y ligamentos son ejemplos de tejidos conjuntivos.

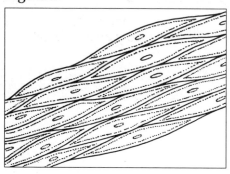

Figura D

La sangre también es un tejido conjuntivo. Es un tejido conjuntivo líquido. La sangre lleva el oxígeno, los alimentos digeridos y las importantes sustancias químicas a todas las partes del cuerpo. El tejido de la sangre también se lleva los desechos del cuerpo.

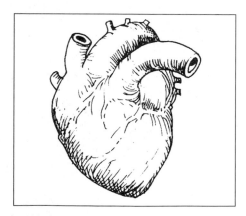

Figura E

EL TEJIDO MUSCULAR hace posible el movimiento. El tejido muscular consiste en células que se pueden acortar. Hay diferentes tipos de tejidos musculares. Un tipo se liga a los huesos. Cuando se acortan estos músculos, tiran de los huesos.

El cuerpo tiene muchos órganos. Un órgano consiste principalmente en un solo tipo de tejido. Pero un órgano puede tener otros tejidos también. Por ejemplo, el CORAZÓN es un órgano. Impulsa la sangre por todo el cuerpo. Principalmente, el corazón consiste en tejido muscular. Pero también tiene tejido sanguíneo (de la sangre), tejido nervioso y tejido epitelial.

Figura F

ALGUNOS ÓRGANOS DEL CUERPO HUMANO

En la tabla que sigue hay una lista de los varios órganos y sus funciones. Algunos de los tejidos que forman cada órgano están en la lista también.

ÓRGANOS	FUNCIÓN	TEJIDOS
CORAZÓN	impulsa la sangre por todo el cuerpo	principalmente muscular; también sanguíneo, nervioso y epitelial
ESTÓMAGO	digiere los alimentos	muscular, nervioso, sanguíneo y otros tejidos
PIEL	cubre y protege el cuerpo; ayuda a eliminar las sales, el agua, el calor y una pequeña cantidad de urea	principalmente epitelial; también sanguíneo, nervioso y otros tejidos
CEREBRO y MÉDULA ESPINAL	el cerebro es el órgano de la razón; el cerebro y la médula espinal transmiten y reciben mensajes	principalmente nervioso; también sanguíneo, conjuntivo y otros tejidos
OJOS, OÍDOS, NARIZ, LENGUA y PIEL	órganos de los sentidos; indican lo que pasa a tu alrededor	nervioso, muscular, sanguíneo y otros tejidos

¿QUÉ MUESTRAN LOS DIAGRAMAS?

Emplea la información de la tabla de arriba para contestar las preguntas sobre los diagramas que siguen.

Los dos órganos que se muestran aquí consisten principalmente en tejidos nerviosos.

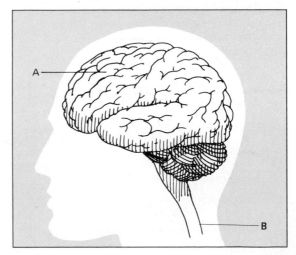

1. ¿Cuál es el nombre del órgano A?

el cerebro

2. ¿Cuál es el nombre del órgano B?

la médula espinal

Figura G

La piel es el órgano más grande del cuerpo. Las glándulas sudoríparas (que producen el sudor) en la piel expulsan los desechos.

3. ¿Cuáles son dos funciones de la piel?

proteger el cuerpo;

expulsar los desechos

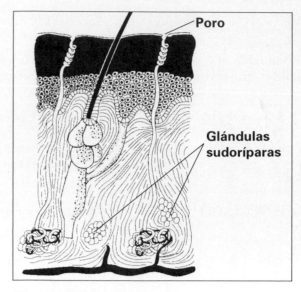

Figura H

HACER CORRESPONDENCIAS

Empareja cada término de la Columna A con su descripción en la Columna B. Escribe la letra correcta en el espacio en blanco al lado de cada término.

	Columna A		Columna B
d	**1.** la sangre	**a)**	impulsa la sangre
f	**2.** el tejido conjuntivo	**b)**	tejido que cubre
b	**3.** los tejidos epiteliales	**c)**	consisten principalmente en tejidos nerviosos
j	**4.** los estímulos	**d)**	se lleva el oxígeno y los alimentos a las células
h	**5.** los órganos de los sentidos	**e)**	produce movimiento
e	**6.** el tejido muscular	**f)**	los huesos, los tendones, los ligamentos y el cartílago
c	**7.** el cerebro y la médula espinal	**g)**	el órgano de la digestión
g	**8.** el estómago	**h)**	oídos, ojos, nariz, piel y lengua
i	**9.** los pulmones	**i)**	los órganos de la respiración
a	**10.** el corazón	**j)**	los cambios a nuestro alrededor

¿Qué es un sistema de órganos?

2

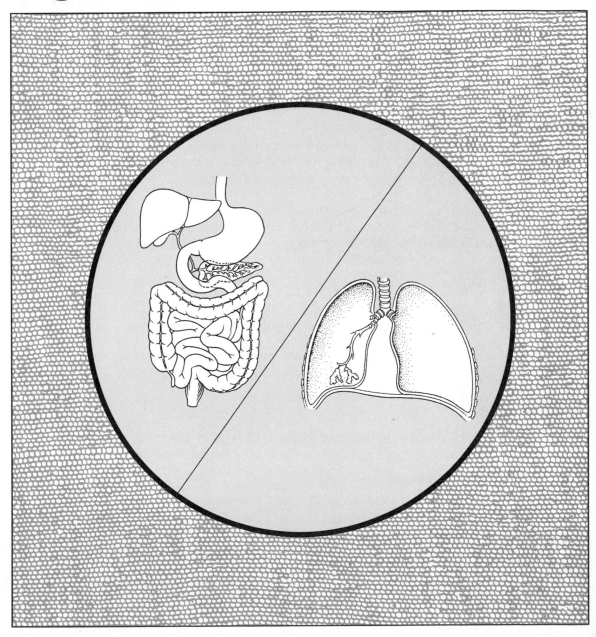

sistema de órganos: grupo de órganos que trabajan juntos

LECCIÓN 2 | ¿Qué es un sistema de órganos?

Como ya sabes, las células no trabajan solas. Las células parecidas se unen para formar tejidos, y los tejidos se unen para formar órganos. Los órganos realizan funciones importantes. Pero aun los órganos no funcionan solos.

Por lo general, unos órganos trabajan juntos para llevar a cabo una función de vida específica. Un grupo de órganos que trabajan juntos para realizar una función específica es un **sistema de órganos.**

Cada órgano en un sistema de órganos tiene una función específica. Por ejemplo, la boca, el esófago (el tubo por donde pasan los alimentos), el estómago y el intestino delgado son órganos del sistema digestivo. El sistema digestivo transforma los alimentos en una forma que el cuerpo puede utilizar.

El cuerpo humano tiene otros varios sistemas de órganos. Cada sistema de órganos trabaja para realizar una de las funciones de vida.

Mira la tabla de la página siguiente. Mientras la lees, vas a notar que algunos órganos son parte de más de un solo sistema de órganos.

Por ejemplo:

- El hígado es parte del sistema digestivo. El hígado también es parte del sistema excretorio. El sistema excretorio elimina los desechos de las células.

- La boca es parte del sistema respiratorio. El sistema respiratorio (que sirve para respirar) trae oxígeno al cuerpo. También ayuda a eliminar el dióxido de carbono. Como ya sabes, la boca es parte del sistema digestivo también.

Hay varios sistemas de órganos en el cuerpo. Todos estos sistemas trabajan juntos. Y, juntos, todos ellos forman un organismo vivo: ¡TÚ!

SISTEMAS DE ÓRGANOS Y LOS ÓRGANOS

SISTEMA DE ÓRGANOS	ÓRGANOS PRINCIPALES
Sistema digestivo	boca esófago estómago intestino delgado intestino grueso hígado páncreas
Sistema respiratorio	nariz y boca tráquea pulmones (2)
Sistema circulatorio	corazón vasos sanguíneos
Sistema nervioso	cerebro médula espinal
Sistema excretorio	riñones (2) piel pulmones hígado intestino grueso vejiga
Sistema reproductor	ovarios (2) (mujeres) testículos (2) (hombres)
Sistema endocrino	glándula tiroides glándula pituitaria timo
Sistema muscular	músculos
Sistema esquelético	huesos

Los diagramas de abajo muestran unos órganos, un organismo y un sistema de órganos. ¿Cuál de ellos representa cuál de los temas? Escribe el nombre correcto debajo de cada diagrama.

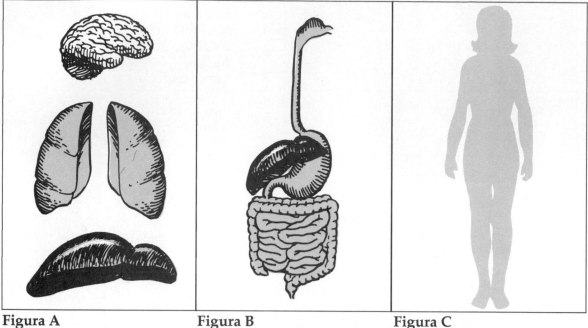

Figura A   **Figura B**   **Figura C**

órganos   sistema de órganos   organismo

LAS GLÁNDULAS

Los órganos que se ven en la Figura D son **glándulas.** Las glándulas forman el sistema endocrino. Las glándulas producen las sustancias químicas que el cuerpo necesita para realizar las funciones de vida.

1. ¿A qué sistema de órganos pertenecen los órganos de la Figura D?

   al sistema endocrino

2. ¿Cuáles de los órganos de este sistema de órganos tiene una mujer que no tiene un hombre? ovarios

3. ¿Cuáles de los órganos de este sistema tiene un hombre que no tiene una mujer? testículos

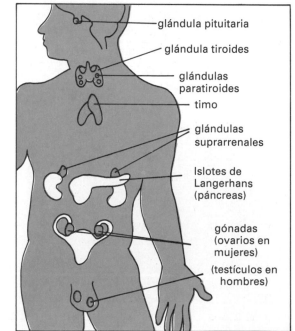

glándula pituitaria

glándula tiroides

glándulas paratiroides

timo

glándulas suprarrenales

Islotes de Langerhans (páncreas)

gónadas (ovarios en mujeres)

(testículos en hombres)

Figura D

En la tabla que sigue hay una lista en la primera columna de los órganos de algunos de los sistemas de órganos. Haz una marca (✔) en las otras columnas si el órgano pertenece a alguno de los otros sistemas. Recuerda que un órgano puede pertenecer a más de un sistema.

	ÓRGANOS	SISTEMAS DE ÓRGANOS							
		diges-tivo	respira-torio	excre-torio	repro-ductor	circula-torio	nervioso	endo-crino	esque-lético
1.	intestino grueso	✔		✔					
2.	vejiga			✔					
3.	cerebro						✔		
4.	ovarios				✔				
5.	nariz		✔						
6.	hígado	✔		✔					
7.	vasos sanguíneos					✔			
8.	riñones			✔					
9.	médula espinal						✔		
10.	pulmones		✔	✔					
11.	corazón					✔			
12.	intestino delgado	✔							
13.	boca	✔	✔						
14.	huesos								✔
15.	tráquea		✔						
16.	esófago	✔							
17.	piel			✔					
18.	testículos				✔				
19.	estómago	✔							
20.	tiroides							✔	

11

COMPLETA LA ORACIÓN

Completa cada oración con una palabra o una frase de la lista de abajo. Escribe tus repuestas en los espacios en blanco. Se pueden usar unas palabras más de una vez.

respiratorio	tejidos	excretorio
sistema de órganos	circulatorio	digestivo
órgano	más de un	organismo

1. Las células se unen para formar los _____tejidos_____.

2. Los tejidos que trabajan juntos forman un _____órgano_____.

3. Dos o más órganos que trabajan juntos forman un ____sistema de órganos____.

4. Un _____organismo_____ se forma de los sistemas de órganos.

5. A veces, un órgano puede funcionar en _____más de un_____ sistema.

6. El hígado es parte del sistema ____digestivo____. Es parte también del sistema ____excretorio____.

7. El intestino grueso es parte del sistema ____digestivo____. Es parte también del sistema _____excretorio_____.

8. El corazón es parte del sistema _____circulatorio_____.

9. Los pulmones forman parte del sistema _____respiratorio_____. Los pulmones también son parte del sistema _____excretorio_____.

HACER CORRESPONDENCIAS

Empareja cada término de la Columna A con su descripción en la Columna B. Escribe la letra correcta en el espacio en blanco al lado de cada término.

Columna A		Columna B
__b__	1. un riñón	a) órgano del sistema nervioso
__e__	2. los ovarios	b) órgano del sistema excretorio
__a__	3. la médula espinal	c) grupo de órganos que trabajan juntos
__c__	4. un sistema de órganos	d) parte de los sistemas digestivo y respiratorio
__d__	5. la boca	e) órganos del sistema reproductor

¿Qué es el sistema esquelético?

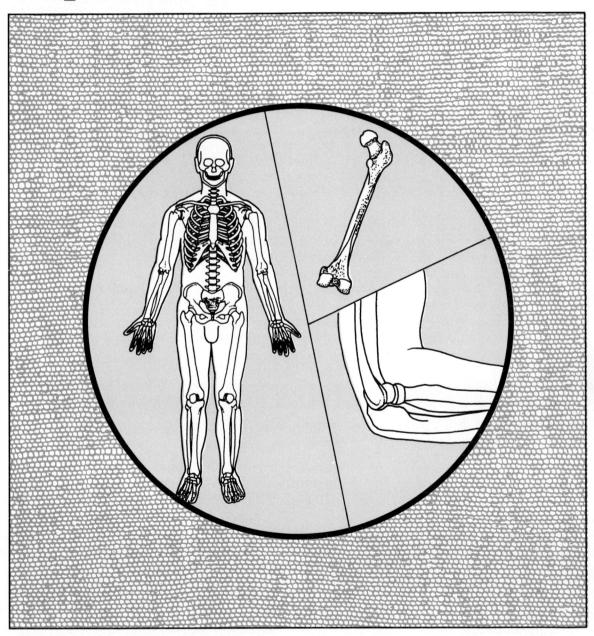

cartílago: tejido conjuntivo fuerte y elástico
articulación: lugar donde se unen dos o más huesos
ligamentos: tejidos que unen huesos con huesos
médula: tejido blando dentro de un hueso que produce los glóbulos (las células) de la sangre

¿Qué es el sistema esquelético?

¿Has visto alguna vez la construcción de una casa? Lo primero que se hace es la armazón. Apoya toda la casa.

Los humanos, y muchos otros animales, también tienen una armazón. Apoya los huesos. Esta armazón es el esqueleto. Algunos animales, tales como los cangrejos y los insectos, tienen un esqueleto duro <u>externo</u> que se llama el <u>dermatoesqueleto</u>. Los humanos, y los otros vertebrados, tienen un esqueleto <u>interno</u>, o sea, un <u>endoesqueleto</u>.

El esqueleto humano consiste principalmente en huesos. También tiene unos tejidos más blandos que se llaman **cartílago**. Los oídos y la punta de la nariz son de cartílago. Apriétalos suavemente. Pueden mover. ¡Así no puedes mover un hueso!

El cartílago también cubre la superficie interior de la mayoría de las **articulaciones**. Una articulación es el lugar donde se unen dos o más huesos. El cartílago en las articulaciones funciona como un amortiguador. Protege los huesos, absorbiendo los choques.

Hay 206 huesos en el esqueleto humano. El esqueleto apoya el cuerpo, pero hace aún más. Por ejemplo, el esqueleto también protege los órganos vitales, permite el movimiento libre y produce los glóbulos rojos y blancos de la sangre.

PROTECCIÓN Piensa en el cuerpo. El cerebro, el corazón y los pulmones son tres de los órganos vitales. Estos órganos están protegidos por los huesos. El cráneo protege el cerebro. Las costillas y el esternón protegen el corazón y los pulmones.

MOVIMIENTO Algunas articulaciones son movibles. Otras articulaciones no son movibles. Por ejemplo, las articulaciones del cráneo no son movibles. Las articulaciones de los brazos, las piernas, las manos y los pies sí son movibles.

La mayoría de las articulaciones se unen con **ligamentos**. Los ligamentos se estiran fácilmente. Esto permite mover los huesos fácilmente. Los huesos y los músculos trabajan juntos para producir movimiento.

PRODUCCIÓN DE GLÓBULOS DE LA SANGRE Por dentro, los huesos tienen canales como tubos. Se llenan de un tejido blando que se llama **médula**. Los glóbulos rojos de la sangre y algunos de los blancos se producen en la médula de los huesos.

Nombra e huen del esqueleto human

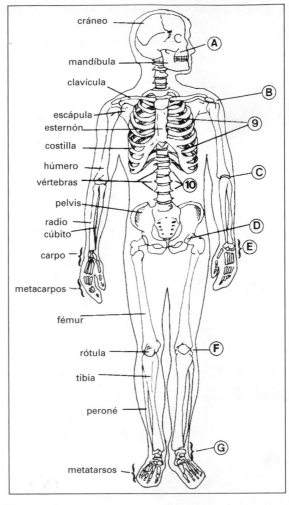

Figura A

Labels in figure:
cráneo — A
mandíbula
clavícula — B
escápula
esternón — 9
costilla
húmero
vértebras — C
pelvis
radio — 10
cúbito — D
carpo — E
metacarpos
fémur
rótula — F
tibia
peroné
metatarsos — G

En la Figura A se ven muchos de los 206 huesos del esqueleto humano. Estudia el diagrama. Luego, contesta las preguntas.

1. **a)** El esqueleto humano es un esqueleto

   _____**interno**_____ .

   interno, externo

   b) ¿Cómo se llama un esqueleto interno?

   _____**endoesqueleto**_____

2. El esqueleto humano principalmente consiste en un tejido duro de

   _____**hueso**_____ .

3. **a)** ¿Cuál es el nombre del tejido elástico que forma algunas partes del esqueleto? ___**cartílago**___

   b) Nombra dos partes del esqueleto que son de este tejido.

   la punta de la nariz   _oído exterior_

4. Vuelve a mirar la Figura A. Busca el hueso o los huesos que corresponden a cada parte del cuerpo de la siguiente lista. Escribe el nombre de cada hueso junto al lugar donde se encuentra.

   a) la rodilla ___**rótula**___   **f)** la cadera ___**pelvis**___

   b) la espinilla ___**peroné**___   **g)** parte delantera del hombro ___**clavícula**___

   c) la cabeza ___**cráneo**___   **h)** parte trasera del hombro ___**escápula**___

   d) el pecho ___**esternón**___   **i)** la columna vertebral ___**vértebras**___

   e) la quijada ___**mandíbula**___   **j)** parte superior de la pierna ___**fémur**___

5. ¿Cuáles son los dos huesos que forman la parte inferior de la pierna? ___**tibia, peroné**___

6. ¿Cómo se llama el lugar donde se unen dos o más huesos? ___**una articulación**___

15

7. ¿Cuál de los huesos es el más importante para hablar? _____mandíbula_____

8. ¿Qué huesos forman la columna vertebral? _____vértebras_____

9. Identifica cada una de estas articulaciones. Escribe la letra de la articulación de la Figura A junto a su descripción.

   a) articulación de la rodilla ___F___

   b) el codo ___C___

   c) la muñeca ___E___

   d) la articulación del hombro ___B___

   e) el tobillo ___G___

   f) la articulación de la mandíbula ___A___

   g) la articulación de la cadera ___D___

10. El número 9 en la Figura A enseña el cartílago.

    a) ¿A qué huesos une este cartílago? _____las costillas y el esternón_____

    b) ¿Por qué es necesario que estas partes sean de cartílago? _____Las costillas tienen que mover hacia afuera y hacia adentro al respirar._____

11. El número 10 del diagrama también enseña el cartílago.

    a) ¿A qué huesos unen estos "discos" de cartílago? _____las vértebras_____

    b) ¿Por qué son tan importantes estos discos de cartílago? _____funcionan como amortiguadores y evitan que se froten los huesos el uno contra el otro_____

LAS ARTICULACIONES

Los huesos se mueven solamente en las articulaciones. Hay tres clases principales de articulaciones en el cuerpo. Son articulaciones fijas, articulaciones parcialmente movibles y articulaciones movibles. Las articulaciones fijas no permiten movimiento alguno. Las articulaciones del cráneo no son movibles. Las articulaciones parcialmente movibles permiten un poco de movimiento. Las articulaciones entre las costillas sólo mueven un poco. Sin embargo, la mayoría de las articulaciones del cuerpo son articulaciones movibles. Hay cuatro clases de articulaciones movibles. Éstas se describen a continuación.

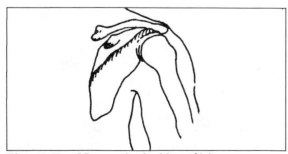

Figura B *Una articulación esférica.*

Una <u>articulación</u> <u>esférica</u> se puede torcer. Permite movimiento en muchas direcciones. También permite movimientos giratorios. La articulación del hombro es un ejemplo de una articulación esférica.

1. Nombra otra articulación esférica en el cuerpo. _____la cadera_____

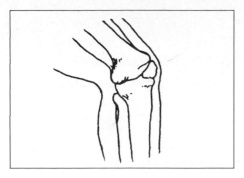

Figura C *Una articulación de bisagra.*

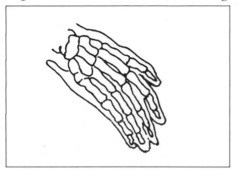

Figura D *Una articulación de deslizamiento.*

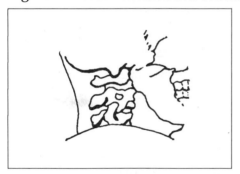

Figura E *Una articulación de giro.*

Una <u>articulación</u> <u>de</u> <u>bisagra</u> puede moverse en sólo una dirección, tal como lo hace la bisagra de una puerta. La rodilla es un ejemplo de una articulación de bisagra.

Dobla el codo.

2. ¿En cuántas direcciones puedes doblar el codo? <u>una</u>

3. Nombra otra articulación de bisagra en el cuerpo. <u>el codo</u>

Una <u>articulación</u> <u>de</u> <u>deslizamiento</u> permite un poco de movimiento en todas las direcciones. La muñeca tiene articulaciones de deslizamiento.

Las <u>articulaciones</u> <u>de</u> <u>giro</u> permiten que los huesos muevan de un lado a otro y de arriba hacia abajo. La articulación entre el cráneo y el cuello es una articulación de giro.

HACER CORRESPONDENCIAS

Empareja cada término de la Columna A con su descripción en la Columna B. Escribe la letra correcta en el espacio en blanco.

	Columna A		Columna B
c	1. la columna vertebral	a)	articulación de bisagra
e	2. la articulación del hombro	b)	une los huesos movibles
a	3. la articulación del codo	c)	está constituida de las vértebras
b	4. el cartílago	d)	llena algunos canales de los huesos
d	5. la médula	e)	articulación esférica

COMPLETA LA ORACIÓN

Completa cada oración con una palabra o una frase de la lista de abajo. Escribe tus respuestas en los espacios en blanco.

articulación   cráneo   glóbulos de la sangre
huesos   médula espinal esférica
oídos exteriores   cartílago   esternón
movimiento   ligamentos   protegen
bisagra   interno   nariz
apoyan   costillas

1. El esqueleto humano es un esqueleto _____interno_____ .

2. El esqueleto humano consiste en 206 _____huesos_____ y cierta cantidad de

   _____cartílago_____ .

3. Los _____oídos exteriores_____ y la punta de la _____nariz_____ se forman de cartílago .

4. Los huesos tienen cuatro funciones. Los huesos _____apoyan_____ , _____protegen_____ ,

   permiten _____movimiento_____ y producen los _____glóbulos de la sangre_____ .

5. El cerebro está protegido por los huesos del _____cráneo_____ .

6. El corazón y los pulmones están protegidos por las _____costillas_____ y el _____esternón_____ .

7. La columna vertebral encierra y protege la _____médula espinal_____ .

8. El punto donde se unen dos huesos se llama una _____articulación_____ .

9. Dos clases de articulaciones movibles son la articulación de _____bisagra_____ y la articulación _____esférica_____ .

10. En las articulaciones movibles, los huesos se unen el uno al otro mediante

    _____ligamentos_____ .

AMPLÍA TUS CONOCIMIENTOS CON LA INVESTIGACIÓN

No todos los glóbulos blancos de la sangre se producen en la médula de los huesos. Hay otras dos partes del cuerpo que producen los glóbulos blancos. En una enciclopedia u otra fuente, averigua qué son las otras partes del cuerpo que producen los glóbulos blancos de la sangre. (Pista: Los glóbulos blancos de la sangre también se llaman leucocitos.)

También se producen los glóbulos blancos de la sangre en el bazo, en los ganglios

linfáticos y en la superficie interior de los vasos capilares.

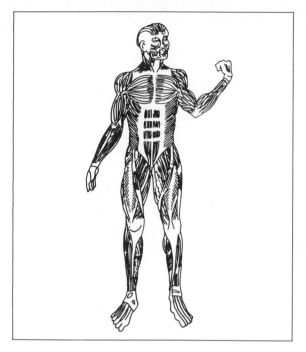

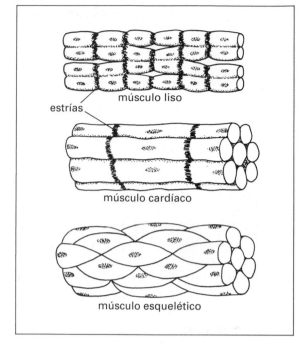

Figura A   **Figura B**

Contesta estas preguntas sobre el sistema muscular humano.

1. Aproximadamente, ¿cuántos músculos tiene una persona? _____600_____

2. Nombra los tres tipos principales de músculos. ___esquelético___ , ___liso___ ,
   ___cardíaco___

3. Los músculos que podemos controlar se llaman músculos ___voluntarios___ .

4. Los músculos que no podemos controlar se llaman músculos ___involuntarios___ .

5. "Cardíaco" quiere decir que es del ___corazón___ .

6. El músculo cardíaco es ___involuntario___ .
   voluntario, involuntario

7. ¿Qué tipo de músculos está ligado a los huesos? ___voluntario___ .
   voluntario, involuntario

8. Con un microscopio,

   a) los músculos voluntarios y el músculo cardíaco se ven ___estriados___ .
   lisos, estriados

   b) los músculos que forman las paredes del aparato digestivo se ven ___lisos___ .
   lisos, estriados

9. ¿Qué producen los músculos? ___movimiento___

10. Los músculos producen movimiento al ___tirar de___ los huesos.
    empujar, tirar de

21

Los músculos esqueléticos trabajan en pares, o sea, en pareja. Un músculo endereza un hueso en una articulación. El otro músculo dobla la articulación.

Por ejemplo:

• El músculo contraído TIRA o jala para producir movimiento.

• Mientras el músculo contraído está tirando, el otro músculo está RELAJANDO.

Lo tiene que hacer. De otro modo, no habría movimiento.

Vamos a trabajar con dos ejemplos verdaderos. Estudia las Figuras C y D. Luego, contesta las preguntas.

La Figura C muestra algunos de los músculos del brazo. Los músculos que doblan y enderezan el brazo son buenos ejemplos de cómo los músculos trabajan juntos.

1. Nombra los músculos emparejados que doblan el codo.

   <u>bíceps</u>   <u>tríceps</u>

Ahora, piensa bien en estas preguntas.

2. Para doblar el brazo,

   a) ¿qué músculo tiene que contraerse?

   <u>bíceps</u>

   b) ¿qué músculo tiene que relajarse?

   <u>tríceps</u>

3. Para enderezar el brazo,

   a) ¿qué músculo tiene que contraerse?

   <u>tríceps</u>

   b) ¿qué músculo tiene que relajarse?

   <u>bíceps</u>

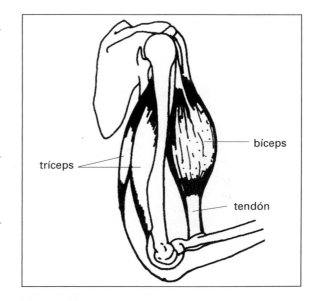

Figura C

4. La mayoría de los músculos esqueléticos están ligados a los huesos con un tejido especial que va entre los dos. Es fuerte y elástico. ¿Cómo se llama este tejido?

   <u>tendones</u>

La Figura D muestra algunos de los músculos de la pierna.

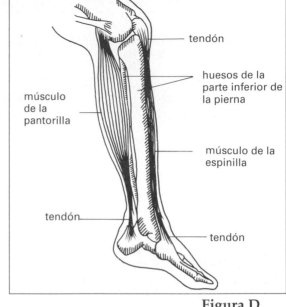

Figura D

5. Escribe los nombres comunes de los músculos que mueven el tobillo.

   <u>músculo de la pantorilla</u> ,

   <u>músculo de la espinilla</u>

6. Para doblar el tobillo,

   a) ¿qué músculo tiene que contraerse?

   <u>el de la pantorilla</u>

   b) ¿qué músculo tiene que relajarse?

   <u>el de la espinilla</u>

7. Para enderezar el tobillo,

   a) ¿qué músculo tiene que contraerse? <u>el de la espinilla</u>

   b) ¿qué músculo tiene que relajarse? <u>el de la pantorilla</u>

8. ¿Qué tipo de músculo es el de la pantorilla? <u>esquelético</u>

   esquelético, liso, cardiáco

ALGUNOS CONSEJOS SANOS

Los músculos tienen que usarse frecuentemente para mantenerse sanos. El ejercicio regular y en moderación —y una buena dieta— ayuda a mantener a todos los músculos en buenas condiciones. Este consejo incluye al corazón.

Figura E

Completa cada oración con una palabra o una frase de la lista de abajo. Escribe tus respuestas en los espacios en blanco.

cardíaco   huesos   empujar
voluntarios   tirar de   lisos
estriados   músculos   involuntarios
se relaja   se contrae   en parejas
tendones

1. Los movimientos del cuerpo están causados por los _____músculos_____ .

2. Los músculos que puedes controlar son los músculos _____voluntarios_____ .

3. Los músculos que no puedes controlar son los músculos _____involuntarios_____ .

4. Los músculos voluntarios están ligados a los _____huesos_____ .

5. Los músculos están ligados a los huesos por los _____tendones_____ .

6. Los músculos esqueléticos y el _____cardíaco_____ se ven _____estriados_____ vistos con un microscopio.

7. Con un microscopio, los músculos digestivos se ven _____lisos_____ .

8. Los músculos sólo pueden _____tirar de_____ los huesos; no pueden _____empujar_____ los huesos.

9. Los músculos esqueléticos trabajan _____en parejas_____ .

10. Cuando un músculo esquelético _____se contrae_____ , el otro músculo de la pareja _____se relaja_____ .

Empareja cada término de la Columna A con su descripción en la Columna B. Escribe la letra correcta en el espacio en blanco.

	Columna A		Columna B
_d_	1. el músculo cardíaco	a)	músculo voluntario
_b_	2. el músculo liso	b)	se encuentra en los vasos sanguíneos
_a_	3. el músculo esquelético	c)	rayado
_c_	4. estriado	d)	músculo del corazón
_e_	5. los tendones	e)	ligan el músculo esquelético a los huesos

¿Qué son los nutrimentos?

5

nutrimento: sustancia química en los alimentos que el cuerpo necesita para el crecimiento, la energía y los procesos de vida

LECCIÓN 5 | ¿Qué son los nutrimentos?

Tienes que comer para sostener la vida. Los alimentos te proporcionan ciertas sustancias químicas importantes: los **nutrimentos.** El cuerpo necesita los nutrimentos para el crecimiento y la energía.

Hay cinco grupos de nutrimentos. La mayoría de los alimentos proporcionan varios nutrimentos. La mayoría de los alimentos, sin embargo, son muy ricos en uno o dos nutrimentos.

Todos los nutrimentos trabajan juntos para mantenerte con buena salud. La vida no puede existir sin estos nutrimentos.

LOS CARBOHIDRATOS
Los carbohidratos proporcionan la energía. Hay dos tipos de carbohidratos: los azúcares y los almidones.

LAS GRASAS
Las grasas también proporcionan la energía. Pero, por lo general, es la energía almacenada. Además, las grasas ayudan a mantener el calor del cuerpo.

LAS PROTEÍNAS
Las proteínas se necesitan para fabricar y reparar los tejidos. Las proteínas también son una parte importante del protoplasma, que es el material viviente de las células.

LAS VITAMINAS
Las vitaminas ayudan a controlar las reacciones químicas dentro del cuerpo. Por ejemplo, las vitaminas controlan la cantidad de energía producida por las células. Las vitaminas también se necesitan para el crecimiento correcto.

LOS MINERALES
Los minerales son importantes para los tejidos sanos. Por ejemplo, los minerales fabrican huesos y dientes fuertes. Los músculos, los nervios y la sangre también necesitan los minerales.

Algunos animales se alimentan sólo de plantas. Ellos son <u>herbívoros.</u>

Algunos animales se alimentan sólo de carne (es decir, de otros animales). Ellos son <u>carnívoros.</u>

Algunos animales se alimentan de plantas y de carne. Un animal que se alimenta de plantas y de carne (de otros animales) es un <u>omnívoro.</u> Los osos, los ratones y las aves son ejemplos de omnívoros. Los seres humanos también lo son.

Piensa en todas las cosas que comes. ¿Te alimentas sólo de plantas? ¿Te alimentas sólo de carne? Es probable que no. Obtienes tus nutrimentos tanto de las plantas como de otros animales.

En la tabla que sigue hay diez alimentos comunes. Algunos de estos alimentos provienen sólo de plantas. Otros provienen sólo de animales. Aún otros son combinaciones de productos vegetales y de productos de animales. Decide tú de dónde proviene cada alimento.

COMPLETA LA TABLA

*Escribe una **P** al lado de los alimentos que provienen de plantas. Escribe una **A** al lado de los que provienen de animales. Escribe **P/A** para los alimentos que son combinaciones de plantas y de animales. Luego, completa la tercera columna acerca de cada alimento.*

		ALIMENTO	P, A o P/A	¿Comes este alimento?
	1.	pan	P	Las respuestas variarán
	2.	maíz	P	para todos los alimentos.
		chuletas de cordero	A	
	4.	de almejas	P/A	
	5.	biste	A	
	6.	tortitas ques	P/A	
	7.	guisado de	P/A	
	8.	leche	A	
	9.	huevos		
	10.	ensalada de atún		

Contesta estas preguntas.

1. ¿Se alimentan las personas sólo de pla...

2. ¿Se alimentan las personas sólo de animal_____

27

3. ¿Cómo llamamos a un animal que se alimenta tanto de plantas como de animales?

un omnívoro

LA IMPORTANCIA DEL AGUA

Acabas de aprender que los nutrimentos son muy importantes. Otra sustancia también es esencial para la vida. Es el agua. En realidad, el agua es una de las sustancias más importantes. Puedes vivir unos cuantos meses sin los alimentos. Pero puedes vivir solamente unos días sin agua. ¿Por qué es tan importante el agua?

• Nuestras células consisten principalmente en agua.

• Los procesos de vida no pueden ocurrir sin agua.

¿Cómo obtienes el agua? Claro que la puedes beber, pero todos los alimentos también contienen agua. Algunos alimentos tienen una gran cantidad de agua. Otros sólo tienen un poquito de agua. Podemos averiguar si un alimento contiene agua al hacer una prueba sencilla.

HACIENDO LA PRUEBA PARA EL AGUA

Lo que necesitas (los materiales)

un tubo de ensayo y una grapa (agarradera)
alimentos para probar (trozos de frutas o
  verduras o cualquier otro alimento)
un mechero Bunsen

Cómo hacer el experimento (el procedimiento)

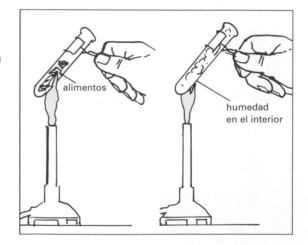

1) Mete el alimento en el tubo de ensayo.

2) Caliéntalo con cuidado. Recuerda sostener el tubo en dirección opuesta a tu cuerpo.

La humedad en el interior del tubo de ensayo hacia la parte de arriba quiere decir que el alimento contiene agua.

Lo que aprendiste (las observaciones)

Figura A

1. ¿Había humedad en el interior del tubo? _____Las respuestas variarán.

2. ¿Crees que la humedad vino del alimento o del aire? _____del alimento

Algo en que pensar (las conclusiones)

¿Contienen agua los alimentos que probaste? _____Las respuestas variarán.

La gráfica que sigue muestra, de porcentaje, cuánta agua hay dentro de algunos alimentos. Estudia la gráfica unos minutos. Luego, contesta las preguntas.

PORCENTAJE DE AGUA EN LOS ALIMENTOS

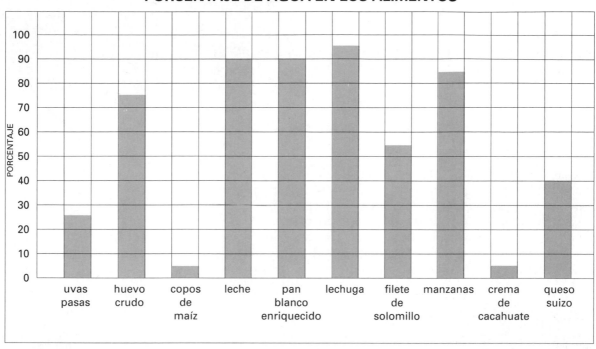

1. ¿Qué porcentaje de agua contiene cada uno de los siguientes alimentos?

   a) uvas pasas _____25%_____

   b) huevo crudo _____75%_____

   c) copos de maíz _____5%_____

   d) leche _____90%_____

   e) pan blanco enriquecido _____35%_____ 90

   f) lechuga _____95%_____

   g) filete de solomillo _____55%_____

   h) manzanas _____85%_____

   i) crema de cacahuate

   aproximadamente 3%

   j) queso suizo _____40%_____

2. ¿Cuál de estos alimentos contiene la mayor cantidad de agua? _____lechuga_____

3. ¿Cuál de estos alimentos contiene la menor cantidad de agua? _____crema de cacahuate_____

Figura B

Figura C

Cada alimento que viene en paquetes (en latas, en cajas o en bolsas congeladas) tiene una etiqueta. ¡Es la ley! En la etiqueta hay una lista de los ingredientes en el alimento. Los ingredientes están ordenados por cantidades. El ingrediente que se encuentra en la mayor cantidad viene primero. El que se encuentra en la menor cantidad está al final.

Los contenidos principales de un cereal preferido están en la lista de abajo. Fíjate en la etiqueta. Luego, contesta las preguntas.

INGREDIENTES

maíz, azúcar, sal, extracto de maíz, condimento de malta

Figura D

1. El ingrediente que se encuentra en la mayor cantidad es _____el maíz_____.

2. El ingrediente que se encuentra en la menor cantidad es _____el condimento de malta_____.

3. A la gente este cereal tiene buen sabor

    a) ¿Por qué crees que a muchas personas les gusta el sabor?

    Las respuestas variarán.

    b) ¿Crees que este cereal es bueno para la salud? _Las respuestas variarán._

                                      sí, no

      ¿Por qué? _Las respuestas variarán._

¿Qué son los carbohidratos, las grasas y las proteínas? | 6

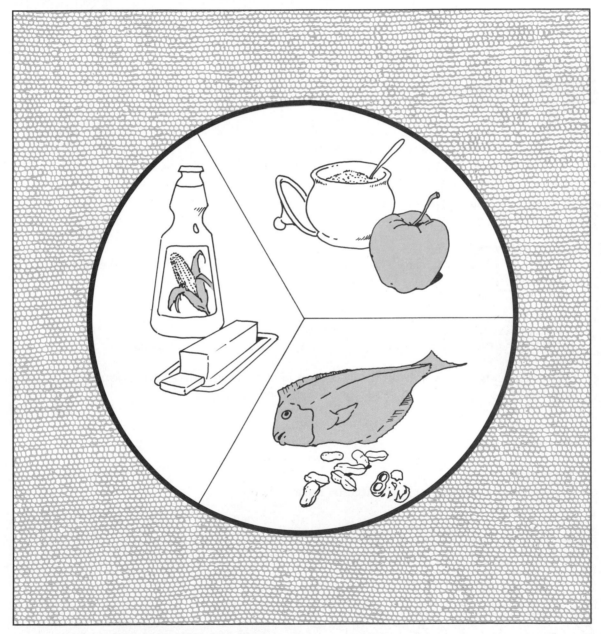

aminoácido: elemento básico que se necesita para fabricar las proteínas
carbohidrato: nutrimento que proporciona la energía
grasa: nutrimento que almacena la energía
proteína: nutrimento que se necesita para fabricar y reparar las células

LECCIÓN 6 | ¿Qué son los carbohidratos, las grasas y las proteínas?

LOS CARBOHIDRATOS

Haz una lista de los alimentos que comes en un día. Es probable que casi la mitad de tu dieta consiste en los **carbohidratos**. Por lo general, es lo que come la mayoría de los estadounidenses.

¿Qué son los carbohidratos? Los carbohidratos son compuestos químicos. Consisten en solamente el carbono, el hidrógeno y el oxígeno —en determinadas proporciones (cantidades equilibradas).

Hay dos grupos de carbohidratos: los almidones y los azúcares. Los almidones y los azúcares son alimentos que dan energía. Durante la digestión, los almidones y los azúcares dobles se convierten en glucosa. La glucosa es el azúcar simple que los cuerpos "queman" durante la respiración. Este proceso nos proporciona la energía que necesitamos para llevar a cabo los procesos de vida.

LAS GRASAS

Iguales a los carbohidratos, las **grasas** son nutrimentos que dan energía. En realidad, las grasas proporcionan más del doble de la energía que proporciona un peso igual de carbohidratos.

Las grasas pueden ser sólidas o líquidas. Las grasas sólidas provienen principalmente de los animales. Las grasas líquidas se llaman **aceites**.

Las grasas son muy importantes. Protegen el cuerpo, absorbiendo choques, y lo dan forma. Las membranas de las células contienen grasa.

El cuerpo contiene tejido de grasa. Se almacenan nutrimentos importantes en este tejido. La grasa también ayuda a proteger el cuerpo contra el frío.

LAS PROTEÍNAS

Las proteínas son como los "ladrillos para la construcción" de toda clase de materia viva.

El cuerpo utiliza las proteínas de muchas formas. Los dos usos más importantes de las proteínas son

- la fabricación de nuevas células y
- la reparación de las células dañadas.

¿Qué es la composición química de las proteínas? Las proteínas contienen átomos de carbono, hidrógeno, oxígeno y nitrógeno. Algunas proteínas también contienen azufre y fósforo.

Lo que necesitas (los materiales)

pedacitos de manzana (u otra fruta)
la solución de Benedict
un tubo de ensayo y una grapa (agarradera)
un mechero Bunsen

Cómo hacer la prueba (el procedimiento)

1) Mete unos pedacitos de manzana en el tubo de ensayo.

2) Añade la solución de Benedict (llena casi un tercio del tubo de ensayo).

3) Coloca el tubo de ensayo encima de la llama para que el fondo del tubo esté apenas tocando la llama. Sosten el tubo en dirección opuesta a tu cuerpo.

4) Hierve la mezcla por casi un minuto. ¡TEN MUCHO CUIDADO!

Si la solución de Benedict se vuelve un color anaranjado o rojo como ladrillo, entonces hay azúcar simple presente. Si se vuelve un color anaranjado más oscuro, entonces hay mucho azúcar simple. Un color de verde claro quiere decir que hay muy poco azúcar.

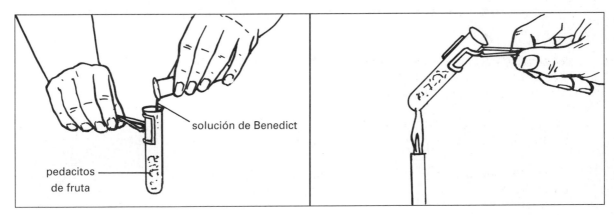

solución de Benedict

pedacitos de fruta

Figura A   **Figura B**

Lo que aprendiste (las observaciones)

Contesta las siguientes preguntas sobre la prueba para el azúcar.

1. ¿Cambió de color la mezcla? _____ sí _____

2. ¿De qué color se hizo la mezcla? _____ Las respuestas variarán; de color anaranjado a color de ladrillo rojo

3. ¿Tiene azúcar simple la fruta que probaste? _____ sí _____

4. ¿Cómo se llama la sustancia química especial que utilizaste para probar para el azúcar simple? _____ la solución de Benedict _____

HACER UNA PRUEBA PARA EL ALMIDÓN

Lo que necesitas (los materiales)

un trozo de pan o de una papa
el yodo o la solución de Lugol
un cuentagotas (una gotera)

Cómo hacer la prueba (el procedimiento)

1. Echa una gota de yodo o de la solución de Lugol en el alimento. El alimento se volverá un color negro azulado si contiene el almidón.

Lo que aprendiste (las observaciones)

Contesta las siguientes preguntas sobre la prueba para el almidón.

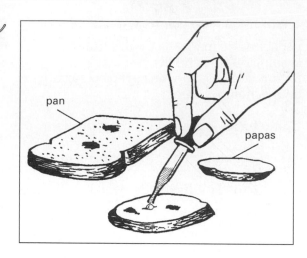

Figura C

1. ¿Cambió al color negro azulado el pan o la papa? _____sí_____

2. ¿Contiene almidón el pan o la papa? _____sí_____

3. ¿Qué líquido utilizaste para hacer la prueba para el almidón? _la solución de Lugol o el yodo_

HACER UNA PRUEBA PARA LAS GRASAS

Lo que necesitas (los materiales)

mantequilla (o margarina)
un pedazo de papel de envuelto de color
  café oscuro

Cómo hacer la prueba (el procedimiento)

1. Pon una pequeña cantidad de mantequilla en el papel y frótala. La grasa hace una mancha en el papel. La luz puede pasar por el papel en esta parte. El aceite hace que el papel sea translúcido.

Lo que aprendiste (las observaciones)

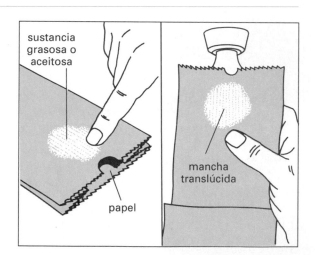

Figura D

Contesta estas preguntas sobre la prueba para la grasa o el aceite.

1. ¿Hizo una mancha en el papel la mantequilla (o la margarina)? _____sí_____

2. ¿El aceite causó que el papel se pusiera translúcido? _____sí_____

3. ¿Contiene aceite el material que probaste? _____sí_____

MÁS SOBRE LAS PROTEÍNAS

Las proteínas se constituyen de compuestos más pequeños que se llaman **aminoácidos**. Los aminoácidos pueden ligarse de muchas maneras distintas. Por esta razón, hay muchas clases de proteínas.

El cuerpo utiliza veinte aminoácidos diferentes. Puede producir doce de ellos. Los ocho que quedan tienen que venir de los alimentos.

• Cuando se digieren las proteínas, los aminoácidos se apartan el uno del otro.

• La sangre transporta los aminoácidos a las células. Las células vuelven a componer los aminoácidos. Vuelven a hacerse proteínas.

Hay miles de proteínas diferentes. Distintas células necesitan distintas clases de proteínas. Cada célula "hace a la medida" las proteínas que necesita.

Las proteínas son moléculas gigantescas. Son muy complicadas. ¡Una sola molécula de proteína puede contener como cien mil aminoácidos! Esto es muy grande con respecto a las moléculas. Sin embargo, una proteína sigue siendo muy pequeña. No puedes ver una molécula de proteína ni siquiera con el microscopio más potente.

CÓMO EL CUERPO FABRICA PROTEÍNAS

Mira las Figuras E y F a continuación y lee los párrafos correspondientes. Luego, contesta las preguntas de 1 a 7 en la página siguiente.

Cada una de estas formas representa un aminoácido. Hay veinte aminoácidos diferentes.

Los aminoácidos se ligan para formar proteínas. Los diferentes tipos de vínculos crean diferentes tipos de proteínas.

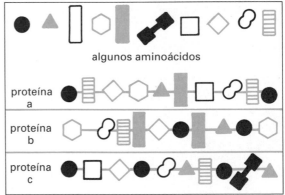

Figura E

1. Los alimentos contienen proteínas. Nosotros comemos los alimentos.

2. La digestión descompone los aminoácidos en la proteína del alimento. La sangre transporta los aminoácidos a cada célula del cuerpo.

3. Las células vuelven a componer los aminoácidos. Vuelven a hacerse proteínas. Las células también fabrican los aminoácidos producidos por el cuerpo.

El cuerpo necesita miles de diferentes clases de proteínas. Cada célula fabrica las clases de proteínas que necesita.

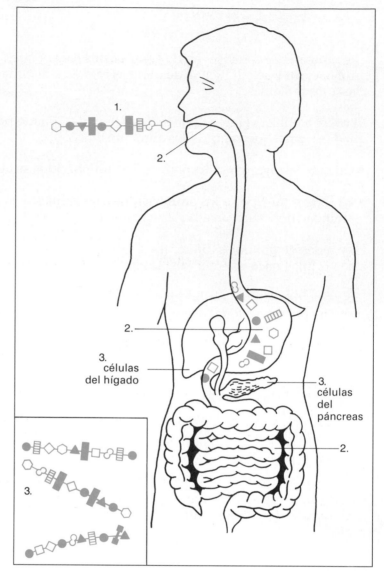

Figura F

CONTESTA ESTAS PREGUNTAS

1. ¿Cuántos tipos de aminoácidos hay? _____ 20 _____

2. ¿Qué se forma cuando los aminoácidos se ligan? _____ proteínas _____

3. ¿Cómo obtenemos las proteínas? _____ de los alimentos _____

4. ¿Qué hace la digestión a las proteínas que comemos? _____ las descompone en los aminoácidos _____

5. ¿Cómo llegan los aminoácidos a las células en todas las partes del cuerpo? a través de la sangre

6. ¿Qué hacen las células con los aminoácidos? _____ fabrican proteínas _____

COMPLETA LA ORACIÓN

Completa cada oración con una palabra o una frase de la lista de abajo. Escribe tus respuestas en los espacios en blanco.

digestión   oxígeno   doce
hidrógeno   veinte   almidones
aminoácidos   azúcares   carbono
ocho   respiración   doble
líquidos

1. Los carbohidratos son compuestos formados solamente por _____ oxígeno _____ , _____ hidrógeno _____ y _____ carbono _____ .

2. Los dos tipos de carbohidratos son los _____ almidones _____ y los _____ azúcares _____ .

3. Cuando una célula "quema" un "carburante" para obtener la energía, el proceso se llama la _____ respiración _____ .

4. Las grasas proporcionan más del _____ doble _____ de la cantidad de energía que los carbohidratos.

5. Los aceites son _____ líquidos _____ a la temperatura del ambiente.

6. Las proteínas se forman de las sustancias químicas ligadas que se llaman _____ aminoácidos _____ .

7. El número de aminoácidos es _____ veinte _____ .

8. El número de aminoácidos que el cuerpo puede fabricar es _____ doce _____ .

9. El número de aminoácidos que debemos obtener de los alimentos es _____ ocho _____ .

10. Las proteínas se descomponen en aminoácidos durante la _____ digestión _____ .

HACER CORRESPONDENCIAS

Empareja cada término de la Columna A con su descripción en la Columna B. Escribe la letra correcta en el espacio en blanco.

	Columna A		Columna B
c	1. la glucosa	a)	grasas líquidas
d	2. ocho aminoácidos	b)	grasas
e	3. reparar y fabricar células	c)	azúcar simple
a	4. los aceites	d)	el cuerpo no los puede hacer
b	5. protegen absorbiendo choques, dan protección contra el frío y dan forma	e)	las funciones principales de las proteínas

CIENCIA *EXTRA*

Para leer las etiquetas en los alimentos

¿Crees que hoy en día tienes que ser adivinador para poder comprender las etiquetas en los envases de alimentos o las declaraciones que se hacen de ciertos alimentos? En muchos casos, sí. Algunas etiquetas sí engañan.

Por ejemplo, en algunos alimentos se dice que son *"light"*. Pero, exactamente, ¿qué significa? Para muchos consumidores, *"light"* quiere decir "de pocas calorías". Pero en algunas etiquetas, ¡*"light"* ("claro") se refiere solamente al color!

Las palabras "libre de azúcar" o "sin azúcar" las ponen en muchas etiquetas. Se puede creer que no hay nada de azúcar en el alimento. Pero no es el caso necesariamente. El producto puede contener almíbar de maíz, que es otro nombre para el azúcar. Aún otros nombres para el azúcar son miel, sacarosa, fructosa y dulcificantes naturales.

"Bajo en sal" y "libre de sal" son otras frases en las etiquetas. Estos alimentos sí tienen bajos niveles de sal de mesa (NaCl), pero pueden contener sodio. El sodio es el elemento que te hace daño en la sal.

Las compañías de productos alimenticios quieren que compres sus productos. Está bien. Está bien que los anuncios sean llamativos. Pero no está bien que engañen ni que hagan declaraciones falsas. Unas compañías ligan sus productos con la prevención de ciertas enfermedades. Declaraciones engañosas y hasta mentirosas te cuestan dinero y perjudican tu salud.

En octubre de 1989, el congreso promulgó una ley general sobre la verdad en los envases. Ésta manda que los fabricantes y los abastecidores de alimentos den más información sobre sus productos. También les prohíbe hacer declaraciones falsas sobre los beneficios para la salud. Se establecerán reglas para términos como *"light"*, "bajo en grasa", "calorías reducidas" y "alto en contenido fibroso". Las etiquetas tendrán que enumerar todos los datos sobre las calorías, las vitaminas y los minerales. También deben tener datos del número de calorías derivadas de distintas fuentes, tales como las grasas y el colesterol. Las reglas tendrán vigor en el año 1993. Hasta entonces, debes leer bien los ingredientes en los envases.

¿Qué son las vitaminas y los minerales?

7

mineral: nutrimento que el cuerpo necesita para desarrollarse adecuadamente
vitamina: nutrimento que se encuentra naturalmente en muchos alimentos

LECCIÓN 7 | ¿Qué son las vitaminas y los minerales?

Todavía no hemos explorado otros dos nutrimentos que el cuerpo necesita para realizar los procesos de vida. Estos nutrimentos son las **vitaminas** y los **minerales.** El cuerpo necesita pequeñas cantidades de vitaminas y minerales para que poder funcionar bien. Así que, ¿qué son las vitaminas y los minerales?

LAS VITAMINAS   Las vitaminas son nutrimentos que se encuentran naturalmente en muchos alimentos. La mayoría de las vitaminas que el cuerpo necesita se encuentran en los alimentos. Sin embargo, hay dos vitaminas que se producen dentro del cuerpo: la vitamina D y la vitamina K.

Las vitaminas son importantes para

• mantener el crecimiento adecuado.

• ayudar a mantener fuertes los huesos y los dientes.

• ayudar a mantener sanos los músculos y los nervios.

• ayudar a convertir los carbohidratos y las grasas en energía.

LOS MINERALES   El cuerpo necesita los nutrimentos de los minerales para poder desarrollarse bien. Necesitas grandes cantidades de algunos minerales. Necesitas pequeñas cantidades de otros minerales. Cada mineral tiene una función diferente. Por ejemplo:

• Se necesita el hierro para hacer los glóbulos rojos de la sangre.

• Se necesitan el calcio y el fósforo para mantener fuertes los huesos y los dientes.

• Se necesita el sodio para los músculos y los nervios sanos.

• Se necesita el cloro para producir una enzima necesaria para la digestión.

• Se necesita el yodo para controlar el crecimiento del cuerpo.

Si el cuerpo no recibe cantidades suficientes de las vitaminas y los minerales que necesita, puede sufrir de una <u>enfermedad de carencia</u>. Vas a aprender más sobre las vitaminas, los minerales y las enfermedades de carencia en otra parte de esta lección.

Las vitaminas son esenciales para la buena salud. La mayoría de los alimentos contienen varias vitaminas. Pero algunos son muy ricos en una vitamina o más. Aquí se ven seis grupos de alimentos. Los alimentos en cada grupo contienen una abundancia de una vitamina en especial.

Figura A *Fuentes importantes de la vitamina A.*

Figura B *Fuentes importantes de la vitamina C.*

Figura C *Fuentes importantes de la vitamina B.*

Figura D *Fuentes importantes de la vitamina D.*

Figura E *Fuentes importantes de la vitamina K.*

Figura F *Fuentes importantes de la vitamina E.*

El cuerpo necesita pequeñas cantidades de vitaminas cada día. Si no recibes lo suficiente de una vitamina en particular, puedes sufrir de una enfermedad de carencia. La ceguera nocturna resulta de una carencia de la vitamina A. Mira la tabla para leer más sobre las otras enfermedades de carencia de vitaminas.

VITAMINA	FUNCIÓN EN EL CUERPO	FUENTES	ENFERMEDAD DE CARENCIA
A	piel y ojos sanos, capacidad para ver en la oscuridad, huesos y dientes sanos	verduras de color anaranjado y de color verde oscuro, huevos, frutas, hígado, leche	ceguera nocturna
B_1, la tiamina	nervios, piel y ojos sanos; ayuda al cuerpo a sacar la energía de los carbohidratos	hígado, cerdo, alimentos de granos enteros	beriberi
B_2, la riboflavina	nervios, piel y ojos sanos; ayuda al cuerpo a obtener la energía de los carbohidratos, las grasas y las proteínas	huevos, verduras, leche	enfermedades de la piel
B_3, la niacina	trabaja con las otras vitaminas B para sacar la energía de los nutrimentos en las células	frijoles, pollo, huevos, atún	pelagra
C	huesos, dientes y vasos sanguíneos sanos	frutas cítricas, verduras de color verde oscuro	escorbuto
D	huesos y dientes sanos; ayuda al cuerpo a utilizar el calcio	huevos, leche, producida por la piel bajo la luz del sol	raquitismo
E	sangre y músculos sanos	verduras frondosas, aceite de vegetales	ninguno que se sepa
K	coagulación normal de la sangre	verduras, tomates	mala coagulación de la sangre

Observa la tabla de abajo. Hay una lista de los minerales, su importancia, los alimentos en que se encuentran y los síntomas de una enfermedad de carencia.

Figura G *Alimentos ricos en potasio.*

Figura H *Alimentos ricos en magnesio.*

MINERAL	FUNCIONES	FUENTES	SÍNTOMAS DE CARENCIA
calcio	hace huesos y dientes	leche y productos lácteos, pescado enlatado, verduras y hortalizas frondosas	huesos blandos malos dientes
fósforo	hace huesos y dientes	carne roja, pescado, huevos, productos lácteos, pollo	ninguno que se sepa
hierro	hace glóbulos rojos de la sangre	carne roja, granos enteros, hígado, yema de huevo, nueces, verduras y hortalizas frondosas	anemia (palidez, debilidad, cansancio)
sodio	ayuda a mantener sanos los músculos y los nervios	sal para la mesa, se encuentra naturalmente en alimentos	ninguno que se sepa
yodo	usado para hacer una sustancia química que controla la oxidación	mariscos, sal yodada	bocio
potasio	ayuda a mantener sanos los músculos y los nervios	bananas, naranjas, carne, granos	pérdida de agua de las células, problemas del corazón, alta presión de la sangre
magnesio	huesos y músculos fuertes, acción de los nervios	nueces, granos enteros, verduras y hortalizas frondosas	ninguno que se sepa
cinc	formación de enzimas	leche, huevos, mariscos, granos enteros	ninguno que se sepa

Contesta cada una de las preguntas. Refiérete a las tablas para buscar las respuestas. Busca con cuidado y ten paciencia y encontrarás todas las respuestas correctas. Pero ten en cuenta que simulamos aquí. En casos verdaderos, nunca debes hacer un diagnóstico ni tratar un problema de salud por tu propia cuenta. ¡Siempre consulta a un médico!

1. Jaime siempre está cansado. Le falta energía y se ve muy pálido.

   a) ¿Qué enfermedad de carencia de minerales puede tener Jaime?

   _____anemia_____

   b) ¿Qué mineral le puede faltar a

   Jaime?___el hierro_____

   c) ¿Qué alimento o alimentos le pueden ayudar con este problema?

   la carne roja, los granos enteros, etc.

Figura I

2. Ana también se siente perezosa y cansada. Además, tiene poco apetito. A veces se le dan calambres en los músculos.

   a) ¿Qué enfermedad de carencia de vitaminas puede tener Ana?

   _____beriberi_____

   b) ¿Cuál de las vitaminas le falta a ella

   que puede causar el problema?___B_1___

   c) ¿Qué alimento o alimentos le pueden ayudar con este problema?

   el hígado, el cerdo, alimentos de granos enteros

Figura J

3. Es un día soleado. Tomás entra en el cine. Tropieza con todo mientras busca un asiento. Todo se ve muy oscuro por varios minutos.

   a) ¿De qué enfermedad de carencia de vitaminas puede sufrir Tomás?

   ceguera nocturna

   b) ¿Qué nutrimento le puede faltar en su dieta?___vitamina A_____

   c) ¿Qué alimentos debe comer Tomás para resolver este problema?___verduras de

   color anaranjado y de color verde oscuro, huevos, frutas, hígado, leche

¿Qué es una dieta equilibrada?

8

LECCIÓN 8 | ¿Qué es una dieta equilibrada?

Muchas personas comen demasiado. Sin embargo, no se alimentan bien. El hecho de comer mucho no siempre quiere decir que estemos comiendo correctamente.

Una dieta tiene que estar equilibrada. Una dieta equilibrada nos proporciona las cantidades apropiadas de todos los nutrimentos. Puedes planear una dieta equilibrada al incluir comida de los cuatro grupos básicos de alimentos. Todos los alimentos se clasifican en los cuatro grupos. Estos grupos son:

EL GRUPO DE PRODUCTOS LÁCTEOS
Este grupo incluye la leche y los productos lácteos (hechos de leche). El queso, la mantequilla y el yogur son ejemplos de productos lácteos.

EL GRUPO DE PAN Y CEREALES
Este grupo incluye los productos de granos enteros o de granos enriquecidos. El pan, los cereales, el arroz, las galletas y los fideos son ejemplos de alimentos de este grupo.

EL GRUPO DE CARNES
Este grupo incluye la carne, las aves, el pescado y los huevos. También incluye las nueces, los chícharos o guisantes, y los frijoles que tienen cantidades abundantes de proteínas.

EL GRUPO DE VERDURAS Y FRUTAS
Este grupo alimenticio incluye las verduras y hortalizas amarillas, las frutas cítricas, los tomates, las bananas y las uvas pasas.

Debes comer alimentos de cada grupo alimenticio todos los días. El número total de porciones que comes de cada grupo se llama tu ración diaria.

En cada comida, debes incluir por lo menos una fuente de proteína. Las proteínas incluyen los huevos, la carne, el pescado, las aves, y los productos lácteos. Además, debes comer por lo menos una fruta cítrica al día.

Aprovéchate de lo que hayas aprendido. Aprende bien a escoger los alimentos de estos grupos. Entonces, estarás seguro de tener una dieta equilibrada. La buena alimentación es una clave importante a la buena salud.

Completa la tabla de abajo con cuatro ejemplos específicos de los alimentos que pertenecen a cada grupo alimenticio. Para ayudarte, hay algunos ejemplos en la Figura A.

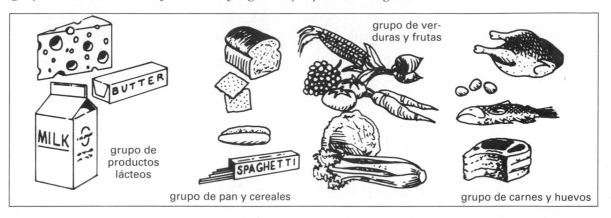

Figura A

	GRUPO DE PRODUCTOS LÁCTEOS	GRUPO DE CARNES	GRUPO DE VERDURAS Y FRUTAS	GRUPO DE PAN Y CEREALES
1.	Las respuestas variarán			
2.				
3.				
4.				

COMPLETA LA ORACIÓN

Completa cada oración con una palabra o una frase de la lista de abajo. Escribe tus respuestas en los espacios en blanco.

grupo de carnes   grupo de verduras y frutas   proteína
nutrimentos   grupo de productos lácteos   equilibrada
grupo de pan y cereales

1. Las cosas útiles que obtenemos de los alimentos se llaman los ___nutrimentos___ .

2. Una dieta correcta se conoce como una dieta ___equilibrada___ .

3. Se pueden clasificar los alimentos en cuatro grupos. Estos son el ___grupo de productos lácteos___ , el ___grupo de carnes___ , el ___grupo de verduras y frutas___ y el ___grupo de pan y cereales___ .

4. Las nueces y los frijoles forman parte del grupo de las carnes porque tienen cantidades abundantes de la ___proteína___ .

CIERTO O FALSO

En los espacios en blanco, escribe "Cierto" si la oración es cierta. Escribe "Falso" si la oración es falsa.

Falso	**1.**	Una persona que come mucho siempre tiene una dieta equilibrada.
Cierto	**2.**	Una dieta equilibrada proporciona las cantidades apropiadas de todos los nutrimentos.
Falso	**3.**	Una persona que solamente se alimenta de carne tiene una dieta equilibrada.
Cierto	**4.**	Los huevos pueden tomar el lugar de la carne en una dieta.
Falso	**5.**	El pan y los cereales nos proporcionan las proteínas.
Cierto	**6.**	Las verduras son ricas en la vitamina C.
Falso	**7.**	El pan blanco nos proporciona los mismos nutrimentos que las frutas cítricas.
Cierto	**8.**	El helado contiene leche.
Falso	**9.**	Hay seis grupos alimenticios básicos.
Cierto	**10.**	La forma en que nos alimentamos puede perjudicar nuestra salud.

AMPLÍA TUS CONOCIMIENTOS

Utiliza lo que has aprendido para planear tres comidas equilibradas: el desayuno, el almuerzo y la cena. En los espacios en blanco de abajo, haz una lista de los alimentos que vas a incluir en cada comida. Recuerda incluir por lo menos una fuente de proteína en cada comida.

Desayuno	Almuerzo	Cena
Las respuestas variarán.		

¿Cómo se digieren los alimentos?

9

digestión: proceso en que los alimentos se transforman en las formas que el cuerpo puede utilizar
esófago: tubo que une la boca y el estómago
peristalsis: movimiento ondulado que hace mover la comida a través del aparato digestivo

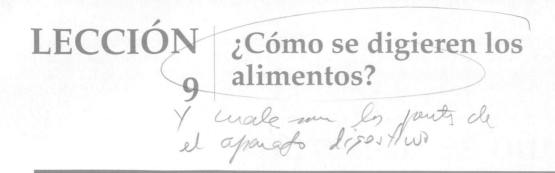

LECCIÓN 9

¿Cómo se digieren los alimentos?

Y cuale son los parts de el aparato digostivo

Como todos los seres vivos, las personas necesitan alimentos. Los alimentos nos dan los nutrimentos que el cuerpo necesita. También nos dan energía. Se necesita la energía para llevar a cabo los procesos de vida.

Sin embargo, los cuerpos no pueden utilizar los nutrimentos ni la energía en los alimentos si no se transforman los alimentos. El proceso de transformar los alimentos en una forma que el cuerpo puede utilizar se llama la **digestión.**

¿Qué hace la digestión? La digestión reduce los pedazos grandes de los alimentos a pedazos más pequeños. También la digestión cambia las sustancias químicas de los alimentos. Convierte las grandes moléculas complejas de los alimentos en moléculas más pequeñas y simples.

¿Dónde toma lugar la digestión? La digestión toma lugar en el <u>aparato digestivo</u>. El aparato digestivo es un largo tubo con muchas curvas dentro del cuerpo. Si se estira, el aparato digestivo tendrá más de 9 metros (30 pies) de largo.

¿Cuáles son las partes del aparato digestivo? Las partes del aparato digestivo son la boca, el **esófago,** el estómago, el intestino delgado y el intestino grueso.

A lo largo del aparato digestivo hay muchas glándulas y órganos, tales como el hígado y el páncreas. Estos órganos no forman parte del aparato digestivo, pero sí ayudan en la digestión. El aparato digestivo y los otros órganos digestivos forman el sistema digestivo.

Los alimentos entran en el cuerpo por la boca. Los desechos (los alimentos no digeridos) salen del cuerpo por el ano. El ano está en el extremo del intestino grueso.

La digestión es un proceso sistemático, que sigue paso a paso. No ocurre rápidamente. Los alimentos tardan de uno a dos días en pasar por todo el aparato digestivo.

Lee las descripciones que siguen para averiguar cómo los alimentos pasan por el aparato digestivo.

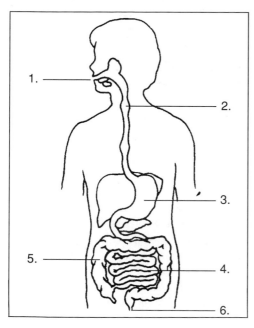

Figura A

1. Los alimentos entran en el cuerpo por la boca. La digestión comienza aquí.

   • Los dientes trituran los alimentos en pedazos más pequeños.
   • La saliva moja los alimentos.
   • La saliva también empieza la reducción química de los almidones.

2. Cuando tragas, los alimentos pasan al esófago.

   • Los alimentos pasan a través del esófago y llegan hasta el estómago.

3. ¿Qué pasa a los alimentos dentro del estómago?

   • El estómago revuelve los alimentos y los deshace en pedazos aún más pequeños.
   • Empieza la digestión química de las proteínas.
   • Los alimentos parcialmente digeridos luego pasan al intestino delgado.

4. La mayor parte de la digestión ocurre en el intestino delgado.

   • En el intestino delgado también se termina toda la digestión.
   • Los alimentos no digeridos (los desechos) luego pasan al intestino grueso.

5. Los alimentos no digeridos (los desechos) no los utiliza el cuerpo.

   • El intestino grueso almacena y expulsa los alimentos no digeridos como desechos sólidos.

6. Los desechos sólidos salen del cuerpo por el ano.

   • NOTA: El ano <u>no</u> es un órgano digestivo.

En la Figura B se ven los órganos del sistema digestivo. Observa el diagrama, luego contesta las preguntas de abajo.

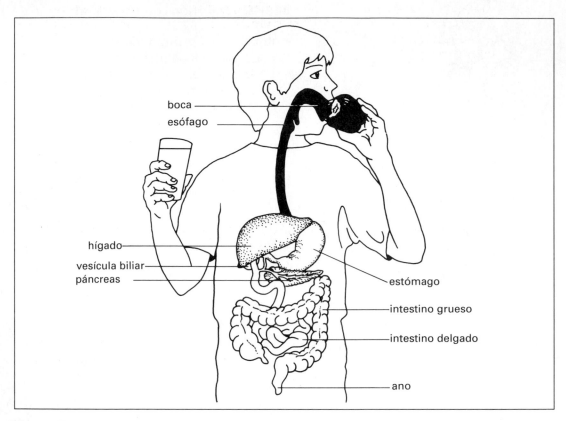

Figura B

1. Nombra en orden las partes del aparato digestivo por las que pasan los alimentos.

   (No incluye el ano.) __la boca__ , __el esófago__ , __el estómago__ , __el intestino__

   __delgado__ y __el intestino grueso__ .

2. El aparato digestivo tiene dos aberturas al exterior del cuerpo.

   a) Los alimentos entran en el cuerpo por la __boca__ .

   b) Los desechos salen del cuerpo por el __ano__ .

3. **a)** ¿Dónde empieza la digestión química? __la boca__

   b) ¿Dónde ocurre la mayor parte de la digestión química? __en el intestino delgado__

4. ¿Cuáles son los dos órganos que son parte del sistema digestivo pero <u>no</u> son parte del

   aparato digestivo? __el hígado__ y __el páncreas__

Completa cada oración con una palabra o una frase de la lista de abajo. Escribe tus respuestas en los espacios en blanco. Se pueden usar algunas palabras más de una vez.

esófago	estómago	más pequeños
se termina	más simples	intestino delgado
aparato digestivo	dientes	saliva
intestino grueso	boca	digestión
hígado	páncreas	

1. La transformación de los alimentos en una forma que el cuerpo puede utilizar se llama la __digestión__ .

2. La digestión reduce los grandes pedazos de alimentos a pedazos __más pequeños__ . La digestión también hace que las moléculas de los alimentos sean __más simples__ .

3. La digestión ocurre en un tubo del cuerpo que se llama el __aparato digestivo__ .

4. Las partes del aparato digestivo (en orden) por las que pasan los alimentos son la __boca__ el __esófago__ , el __estómago__ , el __intestino delgado__ y el __intestino grueso__ .

5. En la boca, los __dientes__ deshacen o trituran los alimentos en pedazos más pequeños.

6. Los alimentos dentro de la boca se mojan con la __saliva__ .

7. La digestión de los almidones empieza en la __boca__ .

8. La digestión de las proteínas empieza en el __estómago__ .

9. La mayor parte de la digestión ocurre en el __intestino delgado__ . También aquí toda la digestión __se termina__ .

10. Los órganos como el __hígado__ y el __páncreas__ ayudan en la digestión, pero están fuera del aparato digestivo.

CÓMO LOS ALIMENTOS SE MUEVEN A TRAVÉS DEL APARATO DIGESTIVO

Los alimentos en el aparato digestivo no se mueven por sí solos. Los alimentos los aprietan a lo largo del aparato digestivo los movimientos ondulados de los músculos. Estos múscu-los funcionan sin tener que nosotros los controlemos. Hacen un movimiento involuntario. Este movimiento ondulado se llama la **peristalsis.** La peristalsis empieza en el esófago cuando acabas de tragar y sigue a través de todo el aparato digestivo. La peristalsis mueve en una sola dirección, a menos que estemos enfermos. Por ejemplo, la peristalsis en direc-ción contraria en el estómago o en el esófago nos hace vomitar. Los vómitos son una forma en que el cuerpo se deshace de las cosas que nos pueden hacer daño.

Consigue un tubo de caucho. Moja el interior del tubo.

Mete una canica que quepa bien en el tubo.

Pellízcala para que avance en el tubo.

Este experimento te dará una buena idea de cómo la peristalsis mueve los alimentos a través del aparato digestivo.

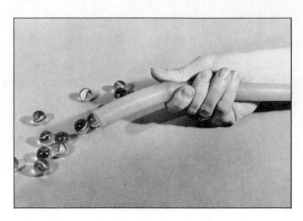

Figura C

IDENTIFICA LAS PARTES

Identifica las partes del aparato digestivo al escribir la letra de la Figura D al lado del nombre de su parte.

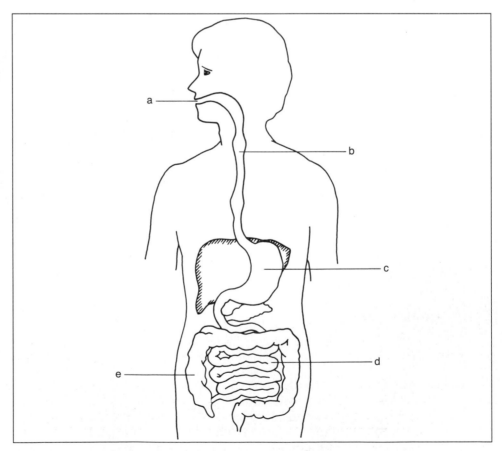

Figura D

1. intestino delgado ___d___   3. boca ___a___   5. esófago ___b___

2. estómago ___c___   4. intestino grueso ___e___

¿Cómo ayudan la digestión las enzimas?

10

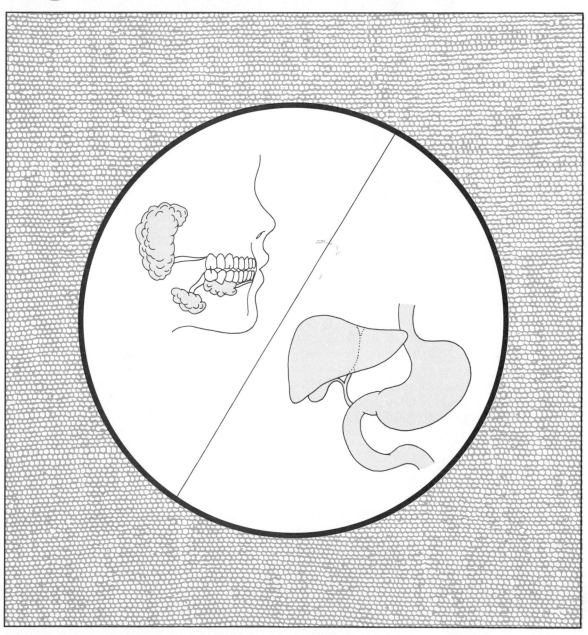

bilis: líquido verdoso que reduce las grasas y los aceites
enzima: proteína que controla las actividades químicas

LECCIÓN 10 | ¿Cómo ayudan la digestión las enzimas?

El cuerpo es como una fábrica química. Produce muchas clases de sustancias químicas.

Algunas de las sustancias químicas que el cuerpo produce se llaman **enzimas.** Las enzimas son muy útiles. No puedes vivir sin ellas.

Algunas enzimas ayudan a digerir los alimentos. Éstas son enzimas digestivas. Las enzimas digestivas se producen en grupos de células especiales que se llaman glándulas.

Muchas glándulas digestivas muy pequeñas se encuentran dentro del aparato digestivo. Están en las paredes del estómago y del intestino delgado. Estas glándulas se vacían directamente en el estómago y en el intestino delgado.

Algunas clases de glándulas digestivas se encuentran fuera del aparato digestivo. Éstas son las glándulas salivales y el páncreas. Se encuentra el páncreas cerca del estómago. Las tres pares de glándulas salivales están cerca de la boca.

Las enzimas de estas glándulas entran en el aparato digestivo por tubos pequeños. Estas glándulas ayudan en la digestión aunque ningún alimento pasa a través de ellas. El aparato digestivo y las glándulas que lo ayudan forman el sistema digestivo.

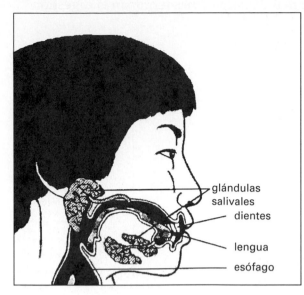

Figura A *Las glándulas salivales.*

LAS GLÁNDULAS SALIVALES

Las glándulas salivales producen la saliva. La saliva consiste principalmente en agua, pero también contiene una enzima que se llama tialina.

El agua en la saliva moja los alimentos. Así los alimentos son más fáciles de tragar.

La tialina empieza a transformar los almidones en azúcares simples.

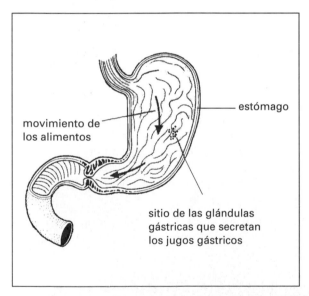

Figura B *Las glándulas gástricas se sitúan en las paredes del estómago.*

EL ESTÓMAGO

Las glándulas digestivas del estómago se llaman glándulas gástricas. Estas glándulas secretan (o despiden) un líquido que se llama el jugo gástrico.

El jugo gástrico contiene las enzimas de la pepsina y el cuajo. Contiene también el ácido clorhídrico y el moco.

- La pepsina empieza la digestión de la proteína.

- El cuajo hace cuajar la leche. Transforma la proteína de la leche líquida en una sustancia como el queso. Así, evita que la proteína pase demasiado rápido a través del aparato digestivo. Da a las enzimas que digieren la proteína el tiempo que necesitan para digerirla bien.

- El ácido clorhídrico. La pepsina sólo puede digerir bien la proteína en un ambiente acídico. El ácido clorhídrico dentro del estómago proporciona el ambiente adecuado. El moco gástrico, o sea, el moco en el jugo gástrico, ayuda a proteger las paredes del estómago contra el ácido.

El páncreas y el intestino delgado producen enzimas. Estas enzimas terminan la digestión de todos los nutrimentos.

Mira la Figura C con atención. Luego, completa las oraciones de abajo.

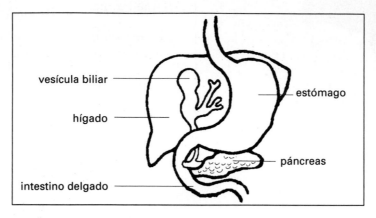

Figura C

1. Las enzimas del páncreas se vacían en el _____ intestino delgado _____ .

2. El páncreas se sitúa directamente debajo del _____ estómago _____ .

EL HÍGADO

El hígado es el órgano más grande dentro del cuerpo humano. También ayuda en la digestión. El hígado produce un líquido que se llama la **bilis**. La bilis <u>no es</u> enzima. Pero sí es muy importante en la digestión de las grasas. La bilis deshace la grasa en pedacitos. Así, "prepara" la grasa para las enzimas que la digieren.

La bilis no se mueve directamente del hígado al intestino delgado. Se almacena en la vesícula biliar. Cuando comes grasa, la vesícula biliar se aprieta. Así expulsa un poco de bilis. De allí, pasa al intestino delgado. La bilis se mezcla con los alimentos en el intestino delgado.

La tabla que sigue nos muestra cómo la digestión en el intestino delgado transforma las sustancias químicas de los alimentos:

PRODUCTOS AL PRINCIPIO		PRODUCTOS AL FINAL
los almidones y los azúcares dobles	➔ se transforman en	azúcares simples
las proteínas	➔ se transforman en	aminoácidos
las grasas	➔ se transforman en	sustancias grasosas más simples

Lo que necesitas (los materiales)

tres pequeños pedazos de carne sin grasa   pepsina líquida
tres tubos de ensayo y un soporte   agua
ácido clorhídrico de 2%

Cómo hacer el experimento (el procedimiento)

1. Mete un pedazo de carne en cada tubo de ensayo. Pon una etiqueta en cada tubo que lee A, B y C, respectivamente.

2. Al tubo de ensayo A, añade la pepsina líquida hasta que un cuarto del tubo esté lleno. Luego, añade agua hasta la mitad.

3. Al tubo de ensayo B, añade la misma cantidad de pepsina. Luego, con mucho cuidado, llena el tubo hasta la mitad del ácido clorhídrico.

4. Al tubo de ensayo C, añade el agua hasta la mitad del tubo. Este tubo de ensayo sirve de comparación para los otros dos. Nos permite comparar lo que pasa con la carne con las enzimas y sin ellas.

Coloca los tubos de ensayo en su soporte. Déjalos por una noche. (Ve la Figura F.)

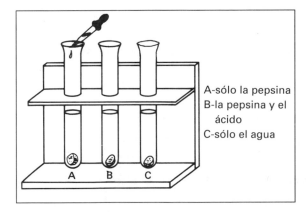

A-sólo la pepsina
B-la pepsina y el ácido
C-sólo el agua

Figura E

Figura F   *Después de 24 horas*

Lo que aprendiste (las observaciones)

1. La carne en el tubo de ensayo C _____ no _____ cambió.
    sí, no

2. La carne en el tubo de ensayo B cambió _____ bastante _____ .
    sólo un poco, bastante

3. La carne en el tubo de ensayo A cambió _____ sólo un poco _____ .
    sólo un poco, bastante

4. **a)** La carne se ha disuelto casi por completo en el tubo de ensayo _____B_____ .
$$\text{A, B, C}$$

b) La mayor parte de la carne en este tubo de ensayo se ha convertido en un _____líquido_____ .
$$\text{sólido, líquido}$$

5. ¿En qué tubo de ensayo no ha ocurrido ninguna digestión? _____C_____
$$\text{A, B, C}$$

6. ¿En qué tubo de ensayo ha ocurrido un poco de digestión? _____A_____
$$\text{A, B, C}$$

7. ¿En qué tubo de ensayo ha ocurrido la más digestión? _____B_____
$$\text{A, B, C}$$

Algo en que pensar (las conclusiones)

1. El agua _____no_____ digiere la proteína.
$$\text{sí, no}$$

2. La pepsina sola _____sí_____ digiere la proteína, pero muy _____lentamente_____ .
$$\text{sí, no} \qquad \text{lentamente, rápidamente}$$

3. **a)** La pepsina digiere la proteína rápidamente cuando se mezcla con un _____ácido_____ .
$$\text{(una sola palabra)}$$

b) Nombra el ácido en el jugo gástrico. _____el ácido clorhídrico_____

4. La digestión química transforma las moléculas _____grandes_____ en moléculas _____pequeñas_____ .
$$\text{grandes, pequeñas}$$
$$\text{grandes, pequeñas}$$

AMPLÍA TUS CONOCIMIENTOS

A veces se puede enfermar de la vesícula biliar. Entonces, hay que quitarla del cuerpo. Las personas pueden vivir sin la vesícula biliar. ¿Cómo tendrían ellos que cambiar su dieta?

Las respuestas de los alumnos variarán. Una respuesta posible es: Deben limitar el consumo de grasas.

¿Qué es la absorción?

11

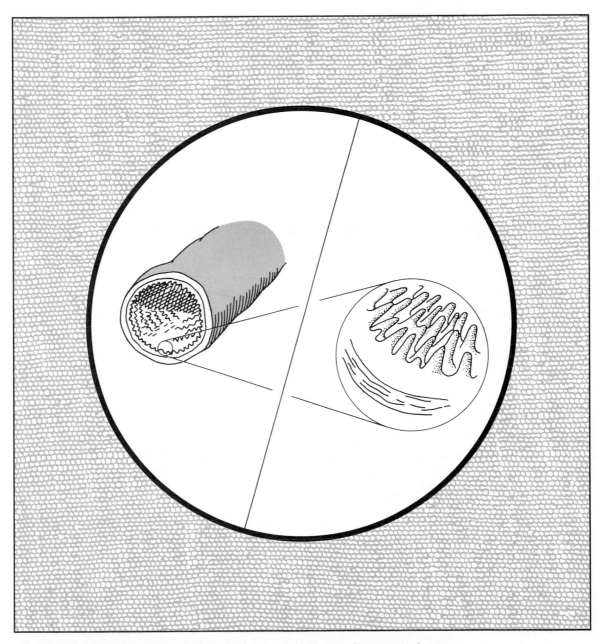

absorción: el movimiento de los alimentos del aparato digestivo a la sangre
vellos: proyecciones, como deditos, en el interior del intestino delgado

LECCIÓN 11 | ¿Qué es la absorción?

Ya has aprendido cómo se digieren los alimentos. Sabes que la digestión termina en el intestino delgado. Pero los alimentos digeridos no tienen valor si no llegan a las células.

¿Cómo salen los alimentos digeridos del sistema digestivo? Se absorben en el intestino delgado. La **absorción** es el movimiento de alimentos del sistema digestivo a la sangre.

Ocurre así:

La pared interior del intestino delgado está forrada con miles de "abultamientos" pequeños. Estos abultamientos se llaman **vellos**. (Un abultamiento es un vello.)

Cada vello tiene dos tipos de tubos:

1. una red de vasos capilares y
2. un vaso lácteo.

Como sabes, los vasos capilares llevan <u>sangre</u>. Los vasos lácteos llevan un líquido que se llama <u>linfa</u>.

Los alimentos digeridos rodean a cada vello. Los alimentos salen del intestino delgado por los vasos capilares y los lácteos.

• Los vasos lácteos absorben las <u>grasas</u> digeridas.

• Los capilares absorben <u>todos</u> los otros nutrimentos.

La linfa y la sangre fluyen, o corren, por todo el cuerpo en tubos distintos. Pero los dos líquidos no permanecen separados. La linfa se vacía en la sangre cerca del corazón. Luego, la sangre transporta todos los nutrimentos.

Como sabes, la sangre va a cada parte del cuerpo. Las células absorben los nutrimentos que se encuentran en la sangre.

Estudia las Figuras A y B.

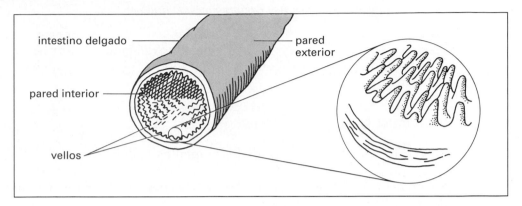

Figura A *La pared interior del intestino delgado tiene miles de vellos muy pequeños.*

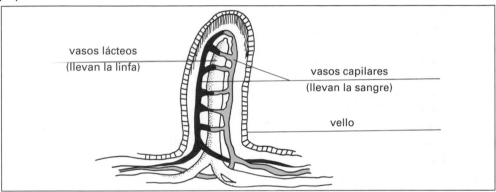

Figura B *Un solo vello.*

1. Las grasas digeridas las absorben los vasos _____lácteos_____ .
    capilares, lacteos

2. Los almidones, los azúcares y las proteínas digeridos los absorben los vasos __capilares__ .
    capilares, lacteos

3. _____La sangre_____ transporta los alimentos digeridos por todo el cuerpo.
    la sangre, el intestino delgado

HACER CORRESPONDENCIAS

Empareja cada término de la Columna A con su descripción en la Columna B. Escribe la letra correcta en el espacio en blanco.

	Columna A		Columna B
b	1. la digestión	a)	está forrado de vellos
d	2. la linfa	b)	transforma los alimentos en una forma que el cuerpo puede utilizar
a	3. el intestino delgado	c)	absorben todos los alimentos digeridos menos las grasas
c	4. los vasos capilares	d)	líquido lácteo

Completa cada oración con una palabra o una frase de la lista de abajo. Escribe tus respuestas en los espacios en blanco. Se pueden usar algunas palabras más de una vez.

boca   células   grasas
lácteo   intestino delgado   nutrimentos
todos los nutrimentos digeridos   digestión   capilares
absorción   vellos

1. Nuestros cuerpos consisten en billones de __células__ .

2. Todas las cosas útiles que sacamos de los alimentos se llaman __nutrimentos__ .

3. La transformación de los alimentos en moléculas más simples y más pequeñas se llama la __digestión__ .

4. La digestión comienza en la __boca__ y termina en el __intestino delgado__ .

5. El movimiento de los alimentos del sistema digestivo a la sangre se llama la __absorción__ .

6. La absorción de los alimentos ocurre en los abultamientos muy pequeños que se llaman __vellos__ .

7. Los vellos forran la pared interior del __intestino delgado__ .

8. Cada vello tiene vasos __capilares__ y un vaso __lácteo__ .

9. Los vasos lácteos absorben las __grasas__ digeridas.

10. Los vasos capilares en los vellos absorben __todos los nutrimentos digeridos__ , menos las grasas.

AMPLÍA TUS CONOCIMIENTOS

1. ¿Qué tiene el área mayor de la superficie: una superficie plana o una superficie llena de abultamientos?

   una superficie llena de abultamientos

2. ¿Cómo apresura la absorción aún más la forma de los vellos?

   Aumenta el área de la superficie del intestino delgado.

¿Qué es el sistema circulatorio?

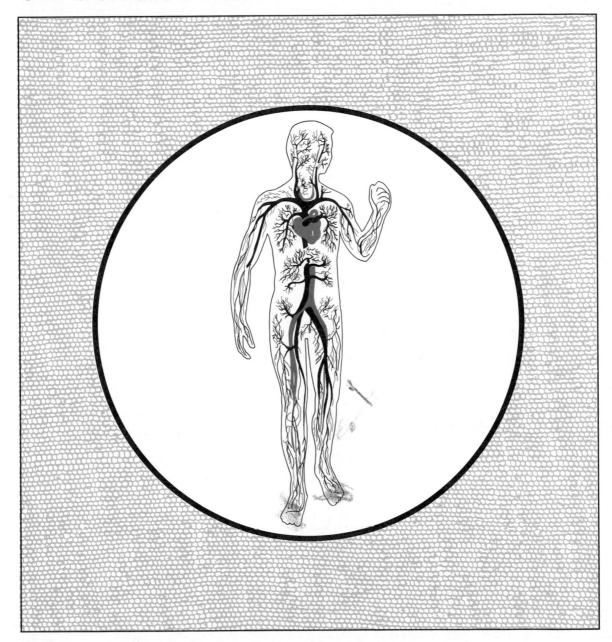

arterias: vasos sanguíneos que llevan la sangre fuera del corazón a otras partes
capilares: vasos sanguíneos muy pequeños que ligan las arterias y las venas
venas: vasos sanguíneos que llevan la sangre hasta el corazón

Examen

LECCIÓN 12 | ¿Qué es el sistema circulatorio?

¿Puedes imaginar a un mensajero que hace billones de entregas en sólo treinta segundos? Pues, ¡lo hace la sangre!

La sangre es un mensajero indispensable para el cuerpo. Está en marcha día y noche.

En tan sólo treinta segundos, más o menos, la sangre recorre (se circula por) todo el cuerpo. Alcanza a llegar a cada una de los billones de células en tu cuerpo.

La sangre transporta (lleva) a las células todas las cosas que necesitan, tales como oxígeno y alimentos digeridos. Las células reciben, o absorben, estos materiales. A cambio, la sangre recoge los desechos de las células. Entre los desechos hay dióxido de carbono, calor y agua sobrante.

El corazón impulsa la sangre por todo el cuerpo. Recorre el cuerpo en un sistema cerrado de tubitos. Estos tubitos son los vasos sanguíneos. En el cuerpo hay tres tipos de vasos sanguíneos: las **arterias**, las **venas,** y los **capilares.**

LAS ARTERIAS transportan la sangre fuera del corazón. La sangre de las arterias es rica en oxígeno y nutrimentos. Las arterias llevan los materiales que las células necesitan.

LAS VENAS transportan la sangre de las partes del cuerpo (las células) de vuelta al corazón. La sangre de las venas lleva los desechos disueltos.

LOS CAPILARES ligan las arterias y las venas. Los capilares son pequeñísimos. Necesitas usar un microscopio para poder verlos. La mayoría de los vasos sanguíneos del cuerpo son capilares.

El corazón, los vasos sanguíneos y la sangre forman el sistema circulatorio. La circulación, o sea, el transporte, es una función vital. No existe la vida sin ésta.

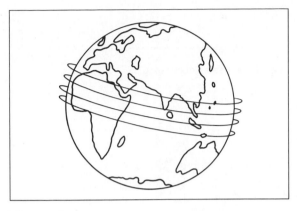

Figura A

Se encuentran los vasos sanguíneos en casi todas las partes del cuerpo.

Si se colocan los vasos sanguíneos de un extremo a otro, ¡se extenderán por casi 161,000 kilómetros (100,000 millas)!

¡Son casi cuatro veces la distancia alrededor de la Tierra por el ecuador!

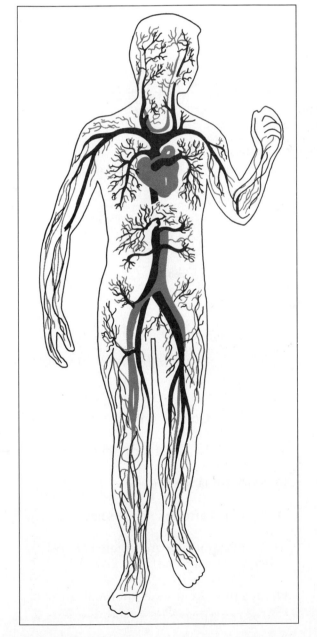

Figura B

Fíjate en la Figura B. Los tubos grises representan las arterias. Los tubos negros representan las venas. Miles y miles de capilares pequeños ligan las arterias y las venas.

Escribe la palabra correcta en cada espacio en blanco para contestar las preguntas o para terminar las oraciones.

1. ¿Qué impulsa la sangre por todo el cuerpo? __el corazón__

2. Los vasos sanguíneos que llevan la sangre fuera del corazón son
   __las arterias__.

3. Los vasos sanguíneos que llevan la sangre de vuelta al corazón son
   __las venas__.

4. La sangre pasa de las arterias a las venas por vasos sanguíneos muy pequeños que se llaman
   __capilares__.

5. El corazón, los vasos sanguíneos y la sangre forman el
   __sistema circulatorio__.

Mira la Figura C. Luego, contesta las preguntas.

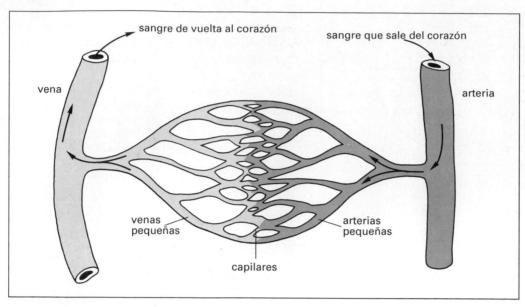

sangre de vuelta al corazón

sangre que sale del corazón

vena

arteria

venas
pequeñas

arterias
pequeñas

capilares

Figura C

1. Las arterias que se ramifican fuera del corazón se hacen cada vez ___más pequeñas___ .

   más pequeñas, más grandes

2. Las venas que van de vuelta al corazón se hacen cada vez ___más grandes___ .

   más pequeñas, más grandes

3. La mayoría de los vasos sanguíneos son ___capilares___ .

   arterias, venas, capilares

HACER CORRESPONDENCIAS

Empareja cada término de la Columna A con su descripción en la Columna B. Escribe la letra correcta en el espacio en blanco.

Columna A		Columna B	
___d___	1. la circulación	a)	llevan la sangre fuera del corazón
___b___	2. el corazón	b)	impulsa la sangre
___a___	3. las arterias	c)	ligan las arterias y las venas
___e___	4. las venas	d)	el transporte de materiales en los seres vivos
___c___	5. los capilares	e)	llevan la sangre de vuelta al corazón

COMPLETA LA ORACIÓN

Completa cada oración con una palabra o una frase de la lista de abajo. Escribe tus respuestas en los espacios en blanco. Se pueden usar algunas palabras más de una vez.

corazón	circulación	oxígeno
capilares	arterias	vaso sanguíneo
alimentos	desechos	sangre
venas		

1. El transporte de materiales dentro de los seres vivos se llama la ___circulación___.

2. En los seres humanos, la circulación se realiza por el líquido que se llama la ___sangre___.

3. Se impulsa la sangre con el ___corazón___.

4. La sangre lleva a las células las cosas como el ___oxígeno___ y los ___alimentos___.

5. La sangre recoge los ___desechos___ de las células.

6. Un tubito que transporta sangre es un ___vaso sanguíneo___.

7. Los tres tipos de vasos sanguíneos son las ___arterias___, las ___venas___ y los ___capilares___.

8. Se lleva la sangre fuera del corazón a través de las ___arterias___.

9. Se lleva la sangre de vuelta al corazón a través de las ___venas___.

10. Las arterias y las venas están ligadas por los vasos sanguíneos pequeños que se llaman los ___capilares___.

PALABRAS REVUELTAS

A continuación hay varias palabras que has usado en esta lección. Pon las letras en orden y escribe tus respuestas en los espacios en blanco.

1. UCACLÓCINRI ___CIRCULACIÓN___

2. NEVA ___VENA___

3. LAPIRESCA ___CAPILARES___

4. ONAZCRÓ ___CORAZÓN___

5. ATERRAI ___ARTERIA___

CIERTO O FALSO

En el espacio en blanco, escribe "Cierto" si la oración es cierta. Escribe "Falso" si la oración es falsa.

Cierto	**1.**	La circulación es el transporte de materiales en los seres vivos.
Cierto	**2.**	La vida termina cuando termina la circulación.
Falso	**3.**	El cerebro impulsa la sangre.
Falso	**4.**	La sangre se circula por todo el cuerpo solamente dos o tres veces al día.
Cierto	**5.**	Las arterias transportan la sangre fuera del corazón.
Falso	**6.**	Las arterias transportan el dióxido de carbono a las células.
Falso	**7.**	Las venas transportan la sangre fuera del corazón.
Cierto	**8.**	Las venas recogen los desechos de las células.
Cierto	**9.**	Los capilares ligan las arterias y las venas.
Falso	**10.**	Los capilares son los vasos sanguíneos más grandes.

AMPLÍA TUS CONOCIMIENTOS

La circulación siempre se realiza por un líquido. En los seres humanos y en muchos otros animales ese líquido es la sangre.

¿Qué crees que es el líquido que realiza la circulación en las plantas? la savia

¿De qué se forma la sangre?

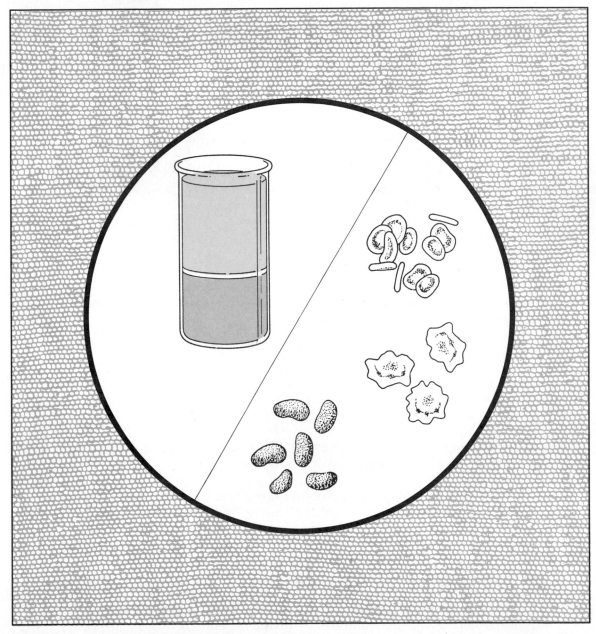

plasma: sustancia líquida de la sangre

plaquetas: pedacitos de células que son pequeños y sin color y que controlan la coagulación de la sangre

glóbulos rojos: células que le dan a la sangre el color rojo y que llevan oxígeno

glóbulos blancos: células que protegen al cuerpo contra las enfermedades

LECCIÓN 13 | ¿De qué se forma la sangre?

En las lecciones de los primeros auxilios, aprendes cómo ayudar a personas que están heridas. Una regla importante de los primeros auxilios es: "Trata primero la sangría grave". Una persona puede morirse de la pérdida de sangre en muy poco tiempo.

¿En qué consiste la sangre? ¿Por qué es tan importante para la vida?

La sangre es el tejido del transporte en el cuerpo. Lleva los materiales esenciales a las células. También lleva los desechos fuera de las células.

La sangre tiene una parte que es líquida y una parte que es sólida. La parte líquida de la sangre se llama el **plasma**. La parte sólida de la sangre consiste en las células sanguíneas, o sea, los glóbulos.

EL PLASMA

El 90 por ciento del plasma es agua. Tiene el color de paja. En el plasma se disuelven los alimentos digeridos, las sustancias químicas importantes y algunos desechos. El plasma lleva estas sustancias a las células. Los desechos se llevan fuera de las células.

LAS CÉLULAS SANGUÍNEAS

Tres tipos de células sanguíneas forman la sangre: los **glóbulos rojos**, los **glóbulos blancos** y las **plaquetas**. Estas células sanguíneas se llevan en el plasma que fluye.

Los glóbulos rojos contienen una sustancia que se llama la hemoglobina. La hemoglobina es roja. Le da a la sangre su color.

El oxígeno se junta con la hemoglobina. Los glóbulos rojos llevan este oxígeno a todas partes del cuerpo. La misma hemoglobina recoge la mayor parte del desecho del dióxido de carbono producido por las células.

Los glóbulos blancos atacan las enfermedades y las infecciones. Destruyen los gérmenes dañinos en el cuerpo.

Las plaquetas son pedazos de células muy pequeñas y sin color. Ayudan a que una herida deje de sangrar. Las plaquetas emiten una sustancia química que ayuda a la sangre a coagularse.

LA COMPOSICIÓN DE LA SANGRE

En la Figura A se ve la composición de la sangre. Estudia la Figura A; luego, contesta las preguntas.

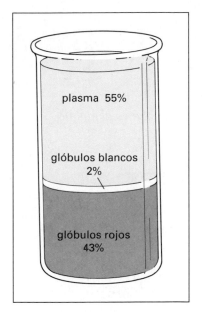

Figura A   *Composición de la sangre*

1. ¿Qué porcentaje de la sangre es líquida? _____ 55%

2. ¿Cómo se llama la parte líquida de la sangre? _____ el plasma

3. **a)** La parte líquida de la sangre consiste principalmente en ____ agua ____ . (Si necesitas ayuda, refiérete a la lectura.)

   b) ¿De qué porcentaje es?
   _____ aproximadamente el 90%

4. Todas las células sanguíneas forman el ____ 45 ____ por ciento de la sangre.

5. El _____ 43 _____ por ciento de la sangre está formado por los glóbulos rojos; los glóbulos blancos forman el _____ 2 _____ por ciento.

LAS CÉLULAS SANGUÍNEAS: SUS NÚMEROS Y TAMAÑOS

La Figura B te dará una idea de los tamaños y los números de los glóbulos rojos y blancos que se encuentran en el cuerpo. Examina la Figura B. Luego, contesta las preguntas.

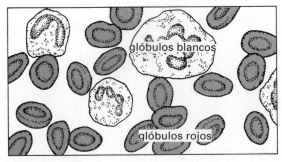

Figura B

1. ¿Cuáles de las células sanguíneas son las más grandes? _____ los glóbulos blancos

2. ¿Cuál de los tipos de células sanguíneas es más numeroso? _____ los glóbulos rojos

3. ¿Cuáles de las células se ven como discos "pellizcados"? _____ los glóbulos rojos

Mira las Figuras C y D. Luego, contesta las preguntas acerca de cada diagrama.

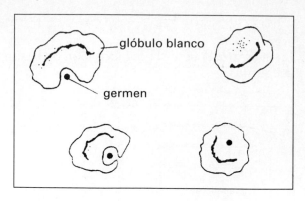

Figura C *Un glóbulo blanco al ataque*

4. ¿Qué tipo de célula sanguínea se ve en el diagrama?

   los glóbulos blancos

5. Describe lo que sucede en la Figura C.

   Un glóbulo blanco está encerrando y

   destruyendo un germen.

Ahora, mira la Figura D. Luego, contesta las preguntas.

6. Cuando te cortes, ¿qué parte de la sangre te ayuda a dejar de sangrar?

   las plaquetas

7. Los glóbulos blancos también vienen al lugar de la herida. ¿Por qué?

   para evitar la infección

8. ¡Adivínalo! ¿Qué pasa con el número de glóbulos blancos cuando los gérmenes están en el cuerpo? _____ El número se aumenta.

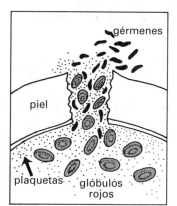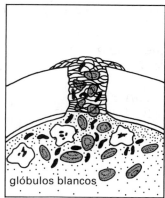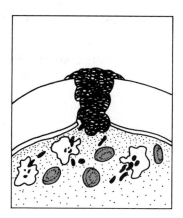

Figura D *La sangre se coagula cuando se corta la piel.*

Contesta las siguientes preguntas sobre los glóbulos rojos.

1. El oxígeno es ___necesario para las células___ .

   necesario para las células, un desecho de las células

2. ¿Cuáles de las células sanguíneas recogen y transportan el oxígeno?
   ___los glóbulos rojos___

   los glóbulos rojos, los glóbulos blancos, las plaquetas

3. ¿Cuál es la sustancia en los glóbulos rojos que se enlaza con el oxígeno?
   ___la hemoglobina___

4. ¿Dónde recibe este oxígeno la sangre? ___c___

   a) en el corazón

   b) en las arterias y las venas

   c) en los pulmones

5. ¿Qué le da color a la sangre? ___la hemoglobina___

¿EN QUÉ DIRECCIÓN?

Se ha llamado la sangre el "Río de la Vida". La sangre les lleva a las células los materiales que las células necesitan. En cambio, la sangre transporta los desechos producidos por las células.

En esta tabla hay diez sustancias que la sangre transporta. Indica si la sangre lleva cada sustancia hasta las células o fuera de las células. Pon una marca (✔) en la casilla apropiada.

	SUSTANCIA LLEVADA POR LA SANGRE	HASTA LAS CÉLULAS	FUERA DE LAS CÉLULAS
1.	alimentos digeridos	✔	
2.	oxígeno	✔	
3.	dióxido de carbono		✔
4.	enzimas	✔	
5.	hormonas (usadas por las células para regular las reacciones químicas)	✔	
6.	calor		✔
7.	sustancias químicas dañinas		✔
8.	agua sobrante (desechos)		✔
9.	vitaminas y minerales	✔	
10.	proteínas	✔	

1. La sangre constituye aproximadamente el 9% del peso del cuerpo humano. Por ejemplo, si tú pesas 100 libras, 9 libras serán de sangre. (Averigua cuántas libras de sangre hay en tu cuerpo.)

2. En un adulto hay aproximadamente 12 pintas de sangre.

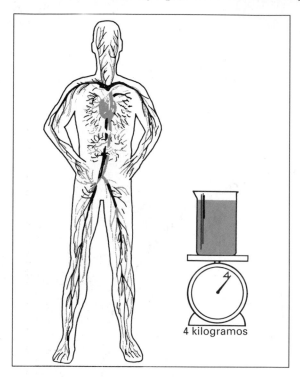

Figura E *Aproximadamente el 9% del peso de una persona consiste en la sangre. Si tú pesas 45 kilogramos (100 libras), 4 kilogramos (9 libras) consisten en la sangre.*

Figura F *En una persona adulta hay aproximadamente 5.7 litros (12 pintas) de sangre.*

3. Hay aproximadamente 600 glóbulos rojos por cada glóbulo blanco en la sangre. Una sola gota de sangre contiene casi 5 millones de glóbulos rojos. En el cuerpo de una persona adulta, hay casi 25 billones de glóbulos rojos.

4. Los glóbulos rojos y los glóbulos blancos se producen en la médula de los huesos, sobre todo en las costillas, el esternón y la columna vertebral.

5. Se calcula que de entre 1 a 2 millones de glóbulos rojos se mueren cada <u>segundo.</u> Nuevos glóbulos se producen para reemplazarlos.

6. El plasma que corre es lo que transporta las células sanguíneas. Los glóbulos blancos, sin embargo, pueden moverse <u>por</u> <u>su</u> <u>propia</u> <u>cuenta.</u>

7. Los glóbulos blancos también pueden pasar por pequeños huecos en los vasos sanguíneos. Entran en los tejidos circundantes. Los glóbulos blancos son como buenos soldados. Andan a la caza de los enemigos (los gérmenes dañinos) y los destruyen.

¿Cómo funciona el corazón?

14

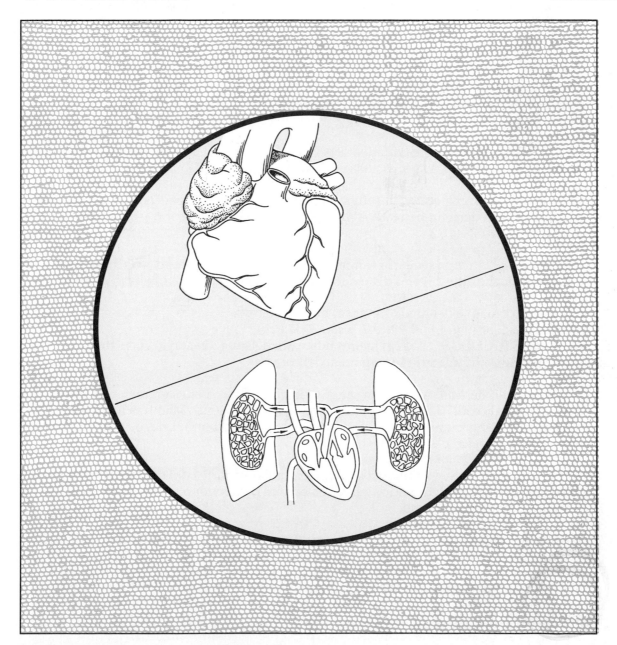

aurículas: cavidades superiores en el corazón
septo: pared de tejido grueso que separa el lado derecho del izquierdo del corazón
válvula: como una "solapa" de tejido delgado que funciona como una puerta que se abre en una
sola dirección
ventrículo: cavidad inferior en el corazón

LECCIÓN 14 | ¿Cómo funciona el corazón?

Ponte la mano sobre el pecho. El latido que sientes viene del corazón. Te mantiene vivo. El corazón está formado principalmente por tejido muscular. Tiene una sola función. Día y noche, las veinticuatro horas al día, el corazón impulsa la sangre a todas las partes de tu cuerpo.

El corazón humano se divide en cuatro partes separadas que se llaman cavidades. Dos cavidades están en la parte superior del corazón; dos cavidades están en la parte inferior.

LAS AURÍCULAS   Las cavidades superiores del corazón son las **aurículas**: la derecha y la izquierda. Las aurículas reciben la sangre.

• La aurícula derecha recibe la sangre de todas las partes del cuerpo. La sangre en la aurícula derecha tiene altos niveles del dióxido de carbono y bajos niveles del oxígeno.

• La aurícula izquierda recibe la sangre de los pulmones. La sangre en la aurícula izquierda tiene altos niveles del oxígeno y bajos niveles del dióxido de carbono.

Las dos aurículas se llenan de sangre al mismo tiempo.

LOS VENTRÍCULOS   Las cavidades inferiores del corazón son los **ventrículos**. Los ventrículos impulsan la sangre fuera del corazón.

• El ventrículo derecho impulsa la sangre a los pulmones. Esta sangre tiene altos niveles del dióxido de carbono y bajos niveles del oxígeno. Mientras la sangre pasa por los pulmones, se deshace del dióxido de carbono. Luego, la sangre recoge oxígeno fresco.

• El ventrículo izquierdo impulsa la sangre a todas las partes del cuerpo. La sangre en el ventrículo izquierdo tiene altos niveles del oxígeno. Tiene bajos niveles del dióxido de carbono.

Los dos ventrículos impulsan la sangre fuera del corazón al mismo tiempo. A la vez que late el corazón, la sangre se "exprime" de los ventrículos.

La sangre corre en una sola dirección. El corazón y las venas tienen **válvulas** que evitan que la sangre corra para atrás. Una válvula es como una "solapa" de tejido.

Una pared muscular separa el lado derecho del corazón del izquierdo. Esta pared es el **septo**. La sangre no puede pasar de un lado del corazón al otro.

El corazón humano es como dos sistemas de bombeo diferentes. Un sistema sirve a los pulmones. El otro sirve a todo el cuerpo.

Vamos a seguir la trayectoria de la sangre hacia dentro y hacia fuera del corazón. **ANOTA:** Se ven los diagramas del corazón como si estuvieras cara a cara con una persona. El lado derecho del corazón está al lado izquierdo del diagrama. El lado izquierdo está a la derecha.

RECUERDA: En un corazón que funciona, las dos cavidades superiores se llenan de sangre al mismo tiempo. Las dos cavidades inferiores "exprimen" (impulsan la sangre hacia fuera) al mismo tiempo.

Vamos a estudiar el lado derecho primero. Luego, estudiaremos el lado izquierdo. De esta manera, comprenderás mejor cómo funciona el sistema circulatorio.

Las venas llevan la sangre de todas partes del cuerpo al corazón

Contesta las preguntas que siguen. Para hallar las respuestas, hay que repasar bien la lectura y fijarte bien en los diagramas.

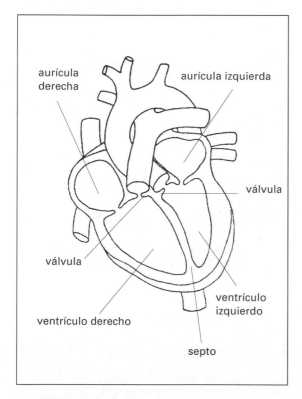

aurícula derecha

aurícula izquierda

válvula

válvula

ventrículo derecho

ventrículo izquierdo

septo

Figura A

1. ¿Cuál de las cavidades recibe la sangre de todas las venas del cuerpo?

   la aurícula derecha

2. **a)** La sangre pasa de esta cavidad al

   ventrículo derecho .

   b) Mientras sucede esto, la válvula entre la aurícula derecha y el ventrículo derecho está

   abierta .
   abierta, cerrada

3. La sangre en el ventrículo derecho tiene altos niveles del

   dióxido de carbono y bajos
   oxígeno, dióxido de carbono

   niveles del oxígeno .
   oxígeno, dióxido de carbono

4. El cuerpo no puede usar esta sangre.
   puede, no puede

5. ¿Adónde tiene que ir esta sangre para conseguir nuevas "provisiones" de oxígeno?

   a los pulmones

El ventrículo derecho se contrae. Exprime la sangre del corazón a los pulmones.

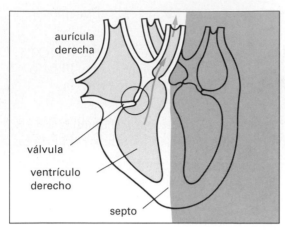

Figura B

aurícula
derecha

válvula

ventrículo
derecho

septo

6. a) Cuando el ventrículo derecho se contrae, la válvula entre la cavidad superior y la inferior está

   _____cerrada_____.
   abierta, cerrada

   b) ¿Qué es lo que se evita con esto?

   que la sangre se mueva hacia atrás

7. La sangre impulsada hacia fuera del ventrículo derecho pasa ___a los pulmones___.
   al cuerpo, a los pulmones

8. En los pulmones, la sangre se deshace del ___dióxido de carbono___ y recoge el
   oxígeno, dióxido de carbono
   ___oxígeno___.
   oxígeno, dióxido de carbono

9. Las células ___pueden___ usar esta sangre.
   pueden, no pueden

10. ¿Adónde tiene que ir la sangre antes de poder ir a todas las otras partes del cuerpo?
    va de vuelta al corazón

Las venas llevan la sangre renovada de vuelta al corazón desde los pulmones.

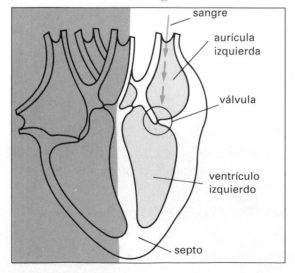

Figura C

sangre

aurícula
izquierda

válvula

ventrículo
izquierdo

septo

11. ¿Cuál de las cavidades recibe la sangre renovada de los pulmones?

    _____la aurícula izquierda_____
    la aurícula izquierda, el ventrículo izquierdo

12. a) Luego, la sangre pasa

    ___al ventrículo izquierdo___.
    a la aurícula izquierda, al ventrículo izquierdo

    b) A la vez que sucede esto, la válvula entre las dos cavidades izquier-

    das está ___abierta___.
    abierta, cerrada

84

El ventrículo izquierdo se contrae. Expulsa la sangre hacia fuera del corazón a todas las partes del cuerpo.

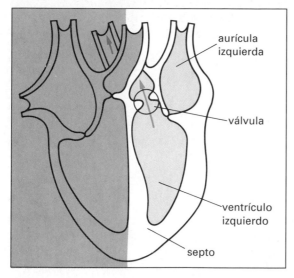

Figura D

13. a) Cuando el ventrículo izquierdo se contrae, la válvula entre las cavidades izquierdas está ___cerrada___.

abierta, cerrada

b) ¿Por qué? __para evitar que la__ __sangre se vuelva hacia atrás__

14. ¿Adónde va la sangre que sale del ventrículo izquierdo? __a todas partes del cuerpo__

15. ¿Qué es lo que crees que sucede con la sangre DESPUÉS? __regresa al corazón por__ __las venas__

¿QUÉ ES EL PULSO?

Cada vez que se contraen los ventrículos, la sangre se expulsa hacia fuera del corazón y entra en las arterias. Esta fuerza impulsa o empuja la sangre por las arterias en pulsaciones. Con cada pulsación, se puede sentir un latido. Este latido es un pulso.

Cada pulso te dice que se contraen los ventrículos.

UNA PULSACIÓN = UN LATIDO DEL CORAZÓN

¿Con qué rapidez late el corazón? Depende de varios factores: la edad, la actividad y tu estado de tranquilidad o de emoción.

El corazón de una persona adulta en reposo late aproximadamente 70 veces por minuto. El corazón de una persona joven late un poco más rápido.

La actividad, el miedo, la preocupación y la emoción son todos factores que hacen que lata más rápido el corazón.

Puedes sentir el pulso en una arteria que está cerca de la piel.

Cada pulsación te dice que el corazón está impulsando la sangre hacia fuera.

Hay varios lugares donde puedes tomarte el pulso. Generalmente se lo toma en la muñeca. La Figura E te muestra cómo hacerlo. Intenta tomarte el pulso. (No uses el dedo pulgar.)

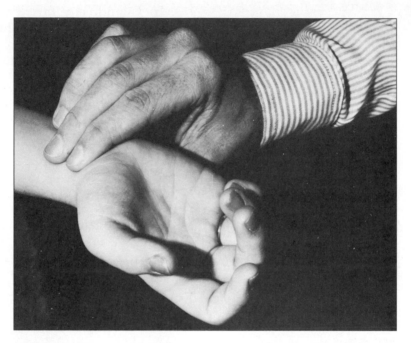

Figura E

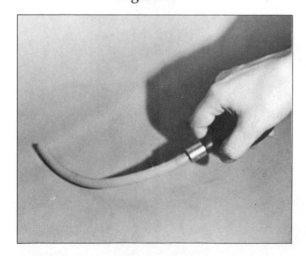

Figura F

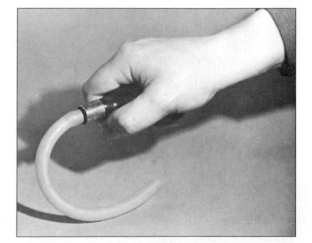

Figura G

Puedes tener una idea de cómo funciona el pulso.

Aprieta una cubeta de caucho llena de agua. El tubo al extremo de la cubeta dará un "salto". Este "salto" es como una sola pulsación.

CÓMO TOMAR EL PULSO

Lo que necesitas (los materiales): tú

Cómo hacer este experimento (el procedimiento)

1. Tómate el pulso cuando estás en un estado de reposo.

2. Corre en el mismo lugar por 30 segundos. Vuelve a tomarte el pulso.

Lo que aprendiste (las observaciones)

1. Anota tus resultados en la tabla que sigue.

	Nombre	Prueba N.° 1 El pulso en reposo	Prueba N.° 2 El pulso después del ejercicio
1.	Las respuestas variarán.		
2.			
3.			
4.			
5.			
	Totales		
	PROMEDIOS (Suma todos los pulsos en cada grupo de prueba. Luego, divide por 5.)		

Algo en que pensar (las conclusiones)

1. El pulso de todo el mundo _____no es_____ el mismo.

     es, no es

2. El ejercicio hace que la pulsación sea _____más rápida_____ .

     más lenta, más rápida

PALABRAS REVUELTAS

A continuación hay varias palabras que has usado en esta lección. Pon las letras en orden y escribe tus respuestas en los espacios en blanco.

1. OSVA   VASO
2. CÍRUALUA   ✓   AURÍCULA
3. ESTOP   SEPTO
4. ORTENLUVÍC   VENTRÍCULO

En el espacio en blanco, escribe "Cierto" si la oración es cierta. Escribe "Falso" si la oración es falsa.

Cierto   **1.** El corazón es un músculo.

Falso   **2.** El corazón tiene muchas funciones.

Cierto   **3.** Un corazón humano tiene cuatro cavidades.

Falso   **4.** Las cavidades del corazón se llaman las arterias y las venas.

Cierto   **5.** La sangre pasa de las aurículas a los ventrículos.

Falso   **6.** Los ventrículos reciben la sangre de las venas.

Cierto   **7.** Las arterias llevan la sangre fuera del corazón.

Cierto   **8.** El ventrículo derecho y el izquierdo impulsan la sangre al mismo tiempo.

Falso   **9.** El corazón deja de latirse cuando duermes.

Cierto   **10.** Tu corazón late millones de veces al año.

AMPLÍA TUS CONOCIMIENTOS

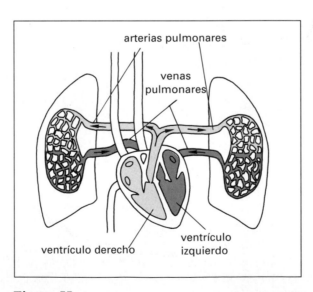

Figura H

1. Las arterias llevan sangre "renovada". Pero hay una excepción. ¿Cuáles de las arterias son las excepciones? _las arterias pulmonares_

2. Las venas llevan sangre "pasada". Pero hay una excepción. ¿Cuáles de las venas son las excepciones? _las venas pulmonares_

¿Qué son la aspiración y la respiración?

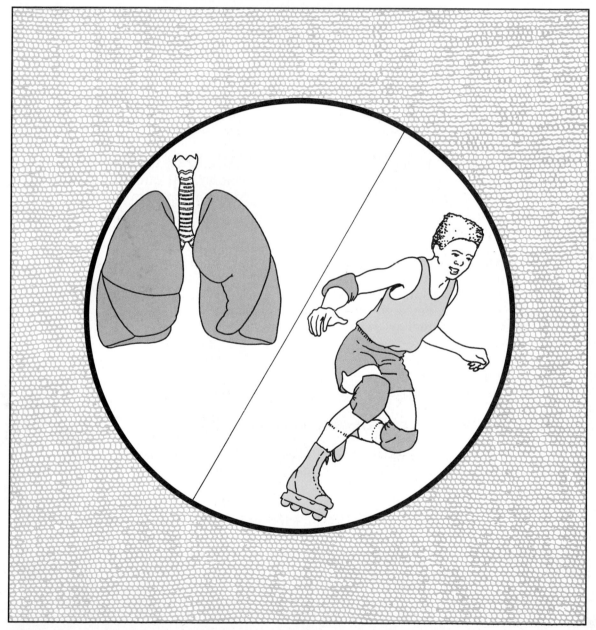

respiración: proceso de llevar oxígeno a las células, de eliminar el dióxido de carbono y de descargar la energía

LECCIÓN 15 | ¿Qué son la aspiración y la respiración?

Necesitas energía para vivir. También la necesitan las aves, los árboles y las bacterias. Todos los seres vivos necesitan energía para realizar los procesos de vida. Y, no puede haber vida sin los procesos de vida.

¿Cómo adquieren la energía las plantas y los animales? Lo hacen de la misma manera en que un coche obtiene la energía, al quemar un combustible (carburante). Los coches usan la gasolina como un carburante. Se descarga la energía cuando el oxígeno del aire se mezcla con la gasolina en el motor.

Los animales adquieren energía al juntar el oxígeno que respiran con los alimentos que comen. Este proceso de vida importante se llama la **respiración**. La respiración es el proceso que produce energía en los seres vivos. Es el descargo de energía como resultado de la mezcla del oxígeno con los alimentos digeridos (la glucosa).

He aquí lo que sucede:

alimentos digeridos + oxígeno → energía y desechos

También se puede ilustrar la respiración de esta forma:

glucosa + oxígeno → energía + agua + dióxido de carbono
(carburante)   (desecho)   (desecho)

En los seres humanos y en muchos otros animales, la aspiración se realiza con los pulmones. Por la aspiración se introduce oxígeno en los pulmones. Aspirar (o inhalar) es introducir aire en los pulmones. Espirar (o exhalar) es expulsar aire de los pulmones.

¿Qué es el sistema respiratorio?

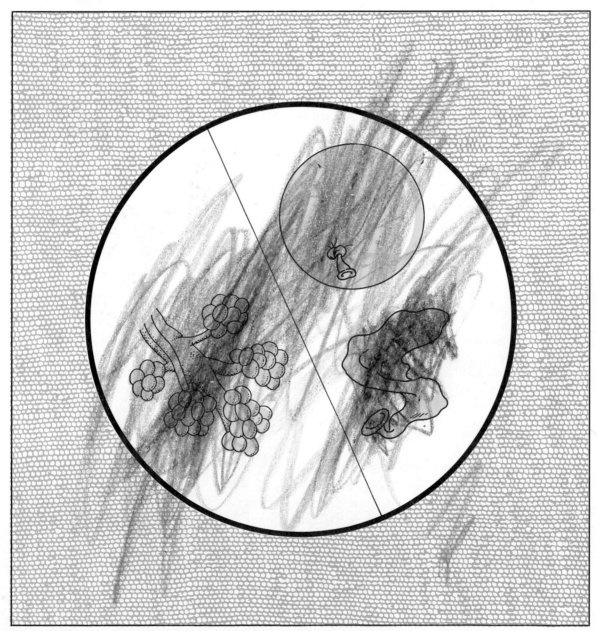

alvéolos: bolsas microscópicas de aire dentro de los pulmones
bronquios: tubos que conducen a los pulmones
tráquea: tubo que deja pasar el aire

Casi todos los seres vivos necesitan tomar oxígeno para vivir. La aspiración es el proceso de introducir aire en el organismo. La aspiración también expulsa el aire usado.

Como acabas de aprender, se realiza la aspiración por medio de los pulmones. Los pulmones, junto con varios otros órganos, forman el sistema respiratorio. La función del sistema respiratorio es introducir oxígeno en los pulmones y expulsar el dióxido de carbono y el agua.

Vamos a seguir la trayectoria del aire cuando inhalas y exhalas.

1. El aire entra en el cuerpo por la boca o la nariz.

2. El aire pasa a la garganta y luego pasa por la **tráquea.**

3. La tráquea se divide en dos tubos que se llaman **bronquios.** Cada bronquio se extiende hasta uno de los pulmones.

4. Los pulmones son los órganos principales del sistema respiratorio. Dentro de los pulmones, los bronquios se ramifican en tubos que se hacen cada vez más pequeños. Al extremo de los tubitos más pequeños hay pequeñas bolsas de aire. En cada pulmón hay millones de bolsas de aire. Cada bolsa de aire está rodeada de capilares.

Cuando el aire está en las bolsas de aire, suceden dos cosas importantes:

• La sangre recoge el oxígeno de las bolsas de aire.

• Al mismo tiempo, las bolsas de aire recogen los desechos de dióxido de carbono de la sangre.

Cuando exhalas, expeles hacia afuera el dióxido de carbono. Además se exhala algo de los desechos de agua y del calor.

La trayectoria que sigue el aire cuando aspiramos se llama el aparato respiratorio. La Figura A lo enseña. Fíjate bien. Luego contesta las preguntas o termina las oraciones.

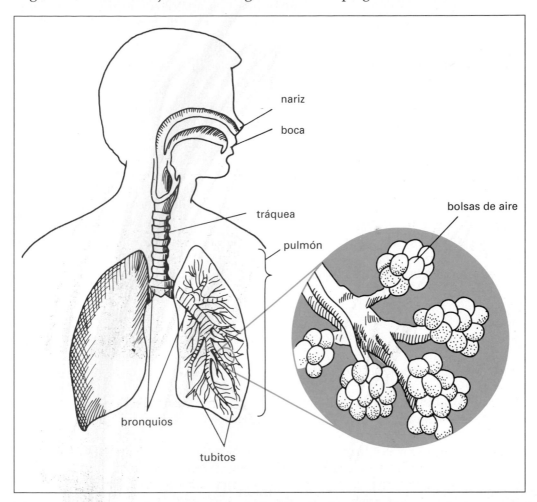

Figura A *Fíjate en la sección aumentada del pulmón. Cada tubito termina en una bolsa de aire.*

1. El aparato respiratorio empieza con la ____boca____ y la ____nariz____ .

2. El aparato respiratorio termina en millones de ____bolsas de aire____ diminutas.

3. ¿Cuántos pulmones tiene una persona por lo general? ____2____

4. Aquí hay una lista de las partes del aparato respiratorio. Pero no están ordenadas. Escríbelas en el orden que sigue el aire cuando pasa por el cuerpo.

   bronquios   boca y nariz   bolsas de aire   tráquea   tubitos

   ____boca y nariz____ , ____tráquea____ , ____bronquios____ , ____tubitos____ , ____bolsas de aire____ .

5. Cada bronquio se extiende hasta un ____pulmón____ .

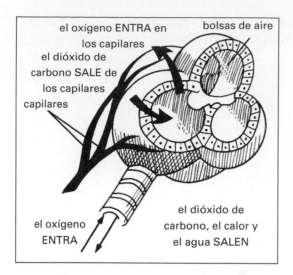

el oxígeno ENTRA en los capilares
el dióxido de carbono SALE de los capilares
capilares
bolsas de aire
el oxígeno ENTRA
el dióxido de carbono, el calor y el agua SALEN

Los pulmones tienen millones de bolsas de aire. Estas bolsas de aire también se llaman **alvéolos**. Los alvéolos son muy pequeños. Necesitas usar un microscopio para verlos.

Figura B

1. El aire que entra en las bolsas de aire es muy rico en _____oxígeno_____ .
   oxígeno, dióxido de carbono

2. El aire que sale de las bolsas de aire es rico en el gas del _____dióxido de carbono_____ .
   oxígeno, dióxido de carbono

3. Las bolsas de aire están rodeadas de _____capilares_____ .

4. Los capilares alrededor de las bolsas de aire reciben _____oxígeno_____ y se deshacen del
   oxígeno, dióxido de carbono

   _____dióxido de carbono_____ .
   oxígeno, dióxido de carbono

5. Escribe los tres desechos excretados por los pulmones.

   _____dióxido de carbono_____ , _____agua_____ , _____calor_____ .

HACER CORRESPONDENCIAS

Empareja cada término de la Columna A con su descripción en la Columna B. Escribe la letra correcta en el espacio en blanco.

Columna A		Columna B
__e__	1. exhalar	a) donde se intercambian los gases
__c__	2. inhalar	b) tubo por el que pasa el aire
__a__	3. las bolsas de aire	c) aspirar hacia adentro
__b__	4. la tráquea	d) rodean las bolsas de aire
__d__	5. los capilares	e) aspirar hacia afuera

COMPLETA LA ORACIÓN

Completa cada oración con una palabra o una frase de la lista de abajo. Escribe tus respuestas en los espacios en blanco. Se pueden usar algunas palabras más de una vez.

alvéolos	tubo en la garganta	nariz
inhalar	bronquios	capilares
boca	exhalamos	cada vez más pequeños

1. Aspirar hacia adentro significa lo mismo que _____inhalar_____ .

2. Inhalamos por la ____boca____ o la ____nariz____ .

3. La tráquea es el nombre del ____tubo en la garganta____ .

4. La tráquea se divide en dos tubos que se llaman ____bronquios____ .

5. En los pulmones, los tubos se ramifican en tubitos que se hacen ____cada vez más pequeños____ .

6. Los pulmones tienen millones de pequeñas bolsas de aire que se llaman ____alvéolos____ .

7. Las bolsas de aire tienen muchos ____capilares____ .

8. Nos deshacemos del desecho del dióxido de carbono cuando ____exhalamos____ .

ROTULA EL DIAGRAMA

Identifica las partes del sistema respiratorio. Escribe la letra correcta en los espacios en blanco.

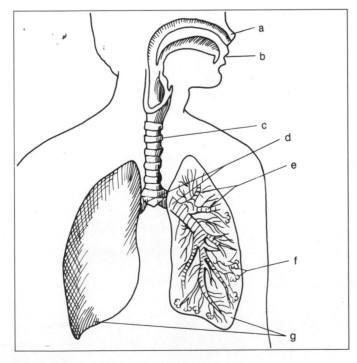

1. bronquios ___d___

2. nariz ___a___

3. tubitos ___e___

4. boca ___b___

5. bolsas de aire ___f___

6. tráquea ___c___

7. pulmones ___g___

Figura C

¿CÓMO SE COMPRUEBA QUE EXHALAMOS DIÓXIDO DE CARBONO?

Lo que necesitas (los materiales)

agua de cal   un popote
taza de plástico

Lo que necesitas saber

1. El agua de cal es un líquido claro o transparente.

2. El agua de cal se vuelve lechosa cuando se mezcla con el dióxido de carbono.

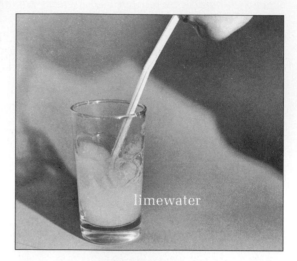

Figura D   *"Agua de cal"*

Cómo hacer el experimento (el procedimiento)

1. Echa el agua de cal en la taza de plástico.

2. Por el popote, exhala normalmente en el agua de cal. **ADVERTENCIA: No aspires (inhales). Ten cuidado de no dejar que la solución entre en la boca.**

3. Observa el agua de cal. Si no ocurre un cambio de color después de un minuto, sigue exhalando en la solución hasta que veas un cambio. Anota el tiempo que se necesita para que el agua de cal muestre un cambio.

    Hora de comenzar: <u>Las respuestas variarán.</u>   Hora de terminar: <u>Las respuestas variarán.</u>

Lo que aprendiste (las observaciones)

1. El agua de cal <u>se volvió lechosa</u> .

    se   quedó clara, se volvió lechosa

2. ¿Cuánto tiempo pasó para que la solución cambiara de color? <u>Las respuestas variarán.</u>

Algo en que pensar (las conclusiones)

1. Los gases que se mezclaron con el agua de cal vinieron <u>de los pulmones</u> .

    del aire, de los pulmones

2. Has comprobado que los pulmones excretan <u>dióxido de carbono</u> .

    dióxido de carbono, oxígeno

¿Qué es la excreción?

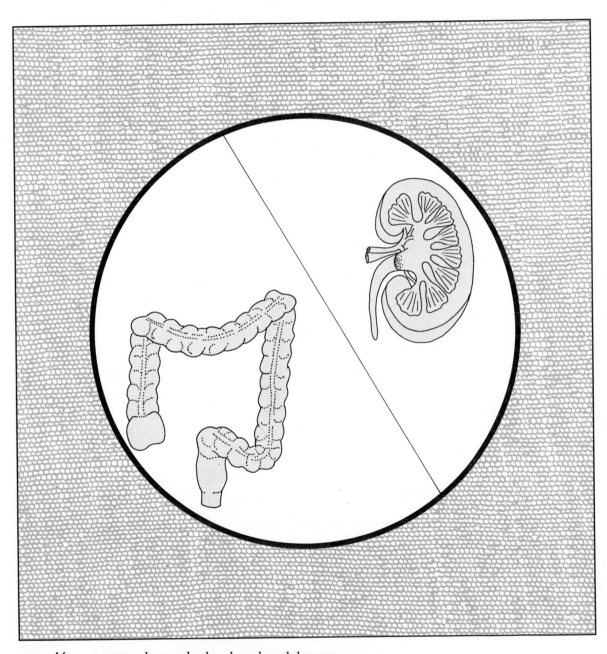

excreción: proceso de expeler los desechos del cuerpo

LECCIÓN 17 | ¿Qué es la excreción?

¿Puedes imaginar una ciudad sin alcantarillas, chimeneas ni la recolección de basuras? Los materiales de desechos se acumularían sin fin. Dentro de poco, todo el mundo tendría que mudarse. Nadie podría vivir allí.

El cuerpo también tiene que deshacerse de los desechos. No puedes vivir sin expeler los productos de desechos.

El cuerpo produce varios tipos de desechos. Hay dos tipos principales: los desechos sólidos no digeridos y los desechos fabricados por las células.

Has aprendido ya que los desechos sólidos no digeridos salen del cuerpo por el intestino grueso. Este proceso se llama la eliminación.

Las células producen muchos desechos distintos. Estos desechos incluyen agua, calor, dióxido de carbono, sales y urea. La urea es un compuesto de nitrógeno.

La expulsión de los desechos producidos por las células se llama la **excreción**. Durante la excreción, la sangre recoge los desechos de las células. Los desechos se envían a los órganos especiales que expelen los desechos del cuerpo.

En muchos animales, el dióxido de carbono sale del cuerpo por los pulmones. El desecho líquido, la orina, se produce en los riñones. La orina consiste en agua, calor y sustancias químicas dañinas. El calor y el agua, al igual que la sal, se excretan del cuerpo a través de la piel en la forma de la transpiración (el sudor).

Cuando la glucosa de los alimentos se mezcla con el oxígeno en las células, se producen calor y otros tipos de energía. Se usa esta energía para realizar algunos de los procesos de vida. Como un resultado de este proceso, se forman los desechos. La siguiente ecuación muestra este proceso:

$$\textbf{glucosa + oxígeno} \rightarrow \textbf{dióxido de carbono + agua + calor sobrante}$$

$$\textbf{(desecho)} \qquad \textbf{(desecho)} \quad \textbf{(desecho)}$$

Si no se expelen estos desechos del cuerpo, te pueden hacer mucho daño. Los órganos del sistema excretorio sacan estos desechos. Por ejemplo, los pulmones se deshacen del dióxido de carbono y del agua. Los riñones eliminan los desechos líquidos. La piel se deshace de desechos líquidos y te ayuda a eliminar el calor sobrante.

LOS DESECHOS SÓLIDOS

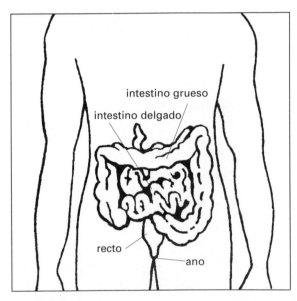

intestino grueso

intestino delgado

recto

ano

Figura A

Algunas partes de los alimentos que comes no se pueden digerir. Estos alimentos no digeridos se convierten en desechos. Estos desechos pasan por el intestino delgado al intestino grueso. Se quita el agua de los desechos en el intestino grueso. Los desechos se convierten en sólidos. Los desechos sólidos pasan del intestino grueso al recto. Del recto, los desechos se excretan por el ano.

¿QUÉ MUESTRA EL DIAGRAMA?

Los desechos salen del cuerpo por muchos caminos. Fíjate en el diagrama. Ciertas partes del cuerpo están identificadas con rótulo. Cada parte elimina ciertos desechos.

Los desechos son

dióxido de carbono   sustancias químicas
                             dañinas
desechos sólidos   agua
sales   calor

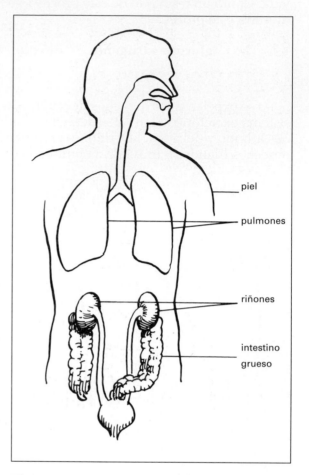

1. Escribe el desecho que corresponde a cada parte. Recuerda, algunos desechos salen del cuerpo por más de una parte.

   Piel _____ calor, agua, sales _____

   Intestino grueso _____ desechos sólidos _____

   Pulmones _____ dióxido de carbono _____

   Riñones _____ agua, calor, sustancias _____

   químicas dañinas

Figura B

AMPLÍA TUS CONOCIMIENTOS

¿Por qué crees que se refiere a la piel como un "acondicionador de aire"? _____ Las respuestas

variarán. Respuestas posibles son: La piel se enfría al cuerpo de modo parecido a un

acondicionador de aire que se enfría un cuarto.

¿Qué es el sistema excretorio?

18

sistema excretorio: sistema del cuerpo encargado de expeler los desechos del cuerpo

LECCIÓN 18 | ¿Qué es el sistema excretorio?

La expulsión o eliminación de los desechos del cuerpo es la función del **sistema excretorio**. Los órganos principales del sistema excretorio son los pulmones, los riñones y la piel.

LOS PULMONES

Ya has aprendido que los pulmones excretan los desechos del dióxido de carbono. Los pulmones también excretan pequeñas cantidades de calor y de agua.

LA PIEL

La piel excreta la mayor cantidad del desecho del calor sobrante. Además, la piel quita un poco de agua, unas sales y una pequeña cantidad de la urea. Se excretan estos desechos por la piel en la forma del sudor o la transpiración. La transpiración, o el sudor, ayuda al cuerpo a refrescarse o enfriarse un poco. Cuando se evapora el sudor por encima de la piel, el cuerpo se pone más fresco. La evaporación es la transformación de un líquido a un gas. Al evaporarse el sudor, se está quitando el calor del cuerpo.

LOS RIÑONES

Los riñones excretan un desecho líquido que se llama orina. La orina es una mezcla. Se forma principalmente del agua y de la urea. Pero también contiene unas sales. Un poco del calor se quita del cuerpo también por los riñones.

Se muestran los órganos del sistema excretorio en la Figura A.

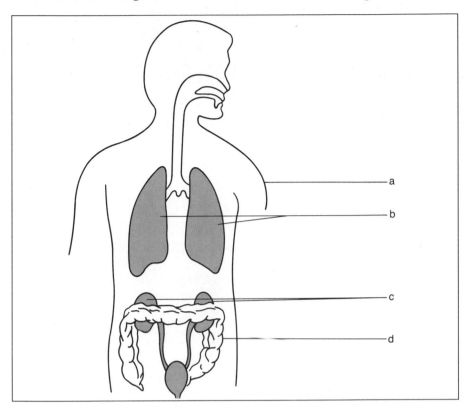

Figura A

1. ¿Puedes identificar las partes? Escribe la letra correcta en el espacio en blanco que corresponde a cada parte.

   riñones _____c_____   intestino grueso _____d_____

   pulmones _____b_____   piel _____a_____

2. ¿Cuál es un órgano de eliminación? _____el intestino grueso_____

3. ¿Cuáles son órganos de excreción? _____los pulmones_____ _____la piel_____ _____los riñones_____

4. Escribe cinco desechos que el cuerpo necesita excretar. _____dióxido de carbono_____

   _____calor_____ _____agua_____ _____sales_____ _____urea_____

5. a) ¿Cuál de estos desechos se excreta solamente por los pulmones? _____el dióxido de_____

   carbono

   b) ¿Cuáles son otros desechos que los pulmones ayudan a excretar? _____el calor y_____

   el agua

6. Los riñones excretan una mezcla líquida que se llama orina.

a) Escribe los dos desechos principales de la orina. _____la urea_____ y

_____el agua_____

b) ¿Cuáles son otros desechos que se encuentran en la orina?_____sales_____

7. a) ¿Cuál es el desecho principal que se excreta la piel?_____el calor_____

b) ¿Cuáles son otros desechos que la piel excreta? _____el agua_____,

_____unas sales_____ y _____la urea_____

LOS PULMONES COMO ÓRGANOS DE LA EXCRECIÓN

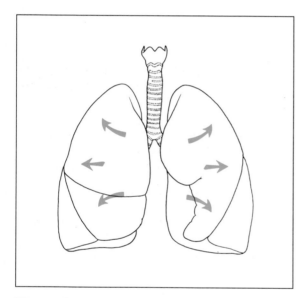

Figura B

Los pulmones excretan dióxido de carbono.

¿Cuáles son otros desechos que los pulmones excretan en pequeñas cantidades?

_____el agua y el calor_____

BUSCA LOS RIÑONES TUYOS

En la Figura C se puede ver dónde están situados los riñones.

Con los puños, busca los riñones de la misma forma que se ve en la figura.

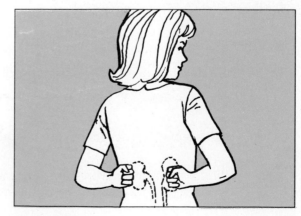

Figura C

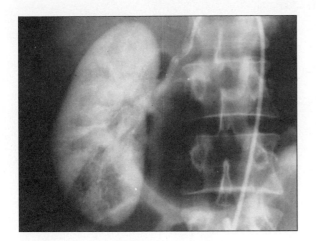

El trabajo principal de los riñones es filtrarse los desechos de la sangre. Dentro de cada riñón hay millones de tubitos diminutos. Se encuentran muchos capilares enro llados en estos tubitos. Mientras la sangre fluye por los tubitos, se filtran agua, sales y urea. Estos desechos salen del riñón y pasan al tubo del riñón que se llama el uréter. Este desecho líquido se llama orina. La orina sale del uréter y se acumula en la vejiga. Por fin, la orina sale de la vejiga por la uretra.

Figura D *Un riñón.*

EL SISTEMA RENAL

En la Figura E se ven los riñones y las vías orinarias. Recuerda: la excreción es la expulsión de desechos del cuerpo. Trata de identificar cada parte, basándote en la descripción. Escribe la letra correspondiente a cada parte junto a su descripción.

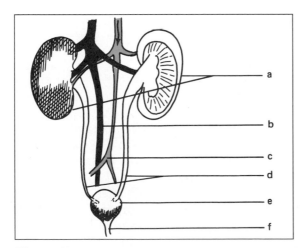

Figura E

1. El desecho líquido que se forma en los riñones se llama la

orina
_____.
orina, transpiración

2. ¿Cuántos riñones tiene una persona?

2
_____

___a___ **3.** Riñones: tienen la forma parecida a la de judías. Los riñones producen la orina.

___d___ **4.** Uréteres: la orina sale de los riñones por estos tubos. Hay dos uréteres, uno para cada riñón.

___e___ **5.** Vejiga: una bolsa en que se acumula y se almacena la orina.

___f___ **6.** Uretra: un tubo que lleva la orina de la vejiga hacia fuera del cuerpo. Solamente hay una uretra.

__b y c__ **7.** Vasos sanguíneos: llevan la sangre hacia el riñón y hacia fuera del riñón. (Pista: Hay que buscar dos letras para esta parte.)

La Figura F muestra las partes de la piel.

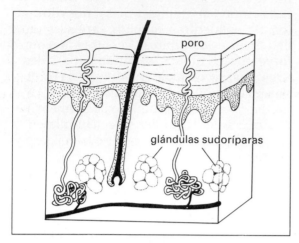

Figura F

1. La piel tiene muchas glándulas. Se enseña una de estas glándulas en la Figura F.

    a) ¿Cómo se llama esta glándula?

    la glándula sudorípara

    b) Nombra la mezcla líquida que se produce en esta glándula.

    el sudor o la transpiración

    c) Escribe los tres materiales que forman esta mezcla. ___el agua___ ,

    ___las sales___ y ___la urea___

    d) El desecho principal que se excreta por la piel es___el calor___.

EL HÍGADO COMO UN ÓRGANO DE LA EXCRECIÓN

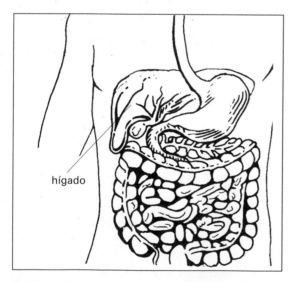

Figura G

Los pulmones, la piel y los riñones son los órganos principales de la excreción. Recogen los desechos de la sangre y los excretan directamente.

El hígado también es un órgano de la excreción. Pero el hígado no excreta los desechos de por sí. Los otros órganos lo hacen. Por esta razón se considera el hígado como un órgano secundario de la excreción.

El hígado trata los desechos de las células de varias maneras:

- El hígado DEBILITA determinadas sustancias químicas. Estas sustancias se vuelven no dañinas.

- El hígado TRANSFORMA algunas sustancias nocivas. Estas sustancias se vuelven útiles.

Por ejemplo: El hígado produce la bilis de las sustancias dañinas. La bilis es importante para la digestión de las grasas. Después de que la bilis ayuda a descomponer las grasas, se evacua de los intestinos.

- El hígado COMBINA ciertas sustancias dañinas. Las prepara para la excreción.

Por ejemplo: El hígado combina dos desechos dañinos: el amoníaco y un poco de dióxido de carbono. Mezcladas, estas dos sustancias forman urea. La sangre transporta urea a los riñones donde se forma parte de la orina. Luego, se excreta.

$$\textbf{amoníaco + dióxido de carbono} \rightarrow \quad \textbf{urea}$$

| desechos dañinos | desecho venenoso |
| | excretado por los riñones |

- El hígado también DESCOMPONE los glóbulos rojos de la sangre que están muertos y los pasan al aparato digestivo. Luego, se eliminan con el desecho sólido de los intestinos.

EN TUS PALABRAS

Contesta las siguientes preguntas con oraciones breves. Usa tus propias palabras.

1. ¿Por qué se considera el hígado como un órgano secundario de la excreción?

    Por sí solo, no excreta los desechos.

    _____

2. Describe las cuatro formas en que el hígado trata los desechos de las células.

    a) debilita sustancias dañinas

    b) transforma sustancias dañinas en sustancias útiles

    c) combina sustancias dañinas

    d) descompone los glóbulos rojos muertos

3. a) Se forma la bilis de sustancias ___dañinas___.
        no dañinas, dañinas

    b) ¿Qué es la función de la bilis? ayuda en la digestión de las grasas

111

c) Cuando la bilis acaba de trabajar, ¿qué le pasa? _____se expulsa de los intestinos_____

d) ¿Cuál de los órganos fabrica la bilis? _____el hígado_____

4.   **a)** El amoníaco y el dióxido de carbono se mezclan para formar _____urea_____.

    b) ¿En cuál de los órganos se produce la urea? _____en el hígado_____

    c) La urea es una sustancia _____dañina_____.
                                   útil, dañina

    d) ¿Qué órgano excreta la urea? _____el riñón_____

5.   **a)** ¿Cuál de los órganos descompone los glóbulos rojos de la sangre? _____el hígado_____

    b) ¿Cómo se eliminan los glóbulos rojos muertos del cuerpo?

          _____con los desechos sólidos_____

6.   El hígado excreta los desechos _____a través de otros órganos_____.
                                     por su propia cuenta, a través de otros órganos

AMPLÍA TUS CONOCIMIENTOS

Las células corporales producen aún más desechos cuando tú estés activo. ¿Qué hace el corazón para ayudar a eliminar estos desechos adicionales?

Las respuestas variarán. Una posible respuesta: Impulsa la sangre con más rapidez.

_____

_____

_____

_____

¿Qué son los órganos de los sentidos?

19

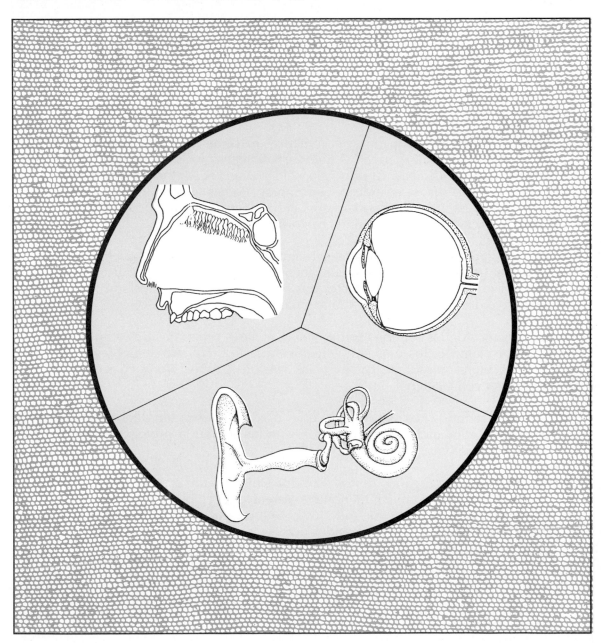

LECCIÓN 19 | ¿Qué son los órganos de los sentidos?

Desde el momento en que naciste, comenzaste a aprender. Cada momento te proporcionaba experiencias nuevas. Saboreabas y olías. Escuchabas y tocabas todo. Mirabas. Al principio, sólo podías ver sombras borrosas. Luego, día tras día, se aclaraban las sombras. Podías ver claramente . . . Y, ¡te acordaste! Aprendiste a reconocer a tu madre y a tu padre, tu biberón, la cuna, los objetos en tu cuarto. Todo era nuevo.

Nosotros aprendemos y sabemos del mundo que nos rodea por nuestros sentidos. Los seres humanos tienen cinco sentidos principales: la vista, el oído, el gusto, el olfato y el tacto. Los órganos de los sentidos son los ojos, los oídos, la nariz, la piel y la lengua.

Los órganos de los sentidos son sensibles a clases especiales de estímulos. Por ejemplo, los ojos son sensibles a la luz. No son sensibles a sonidos, olores ni sabores. La lengua es sensible al sabor. No puedes oír, oler ni ver con la lengua.

Nuestros sentidos nos avisan de lo que sucede a nuestro alrededor. Las respuestas a los mensajes de nuestros sentidos ayudan a protegernos y mantenernos vivos.

Sin embargo, los órganos de los sentidos simplemente son receptores. Reciben estímulos y envían mensajes al cerebro. El cerebro interpreta los mensajes. En realidad lo que mira, oye, saborea, huele y toca es el cerebro. En esta lección, vas a aprender acerca de cada órgano de los sentidos.

LOS OJOS

Refiérete a la Figura A mientras lees sobre las distintas partes del ojo. La <u>córnea</u> es la ventana transparente del ojo, por donde la luz entra en el ojo. El <u>iris</u> es la parte de forma de anillo que tiene color. El iris le da al ojo su color. La <u>pupila</u> es la abertura en el centro del iris que cambia de tamaño de acuerdo con la cantidad de luz que entra en el ojo. La <u>lente</u> ayuda a enfocar la luz. La <u>retina</u> es la capa nerviosa del ojo que es sensible a la luz. El <u>nervio óptico</u> conduce hacia fuera de la retina. Lleva mensajes sobre la luz al cerebro. Luego, el cerebro interpreta los mensajes.

Identifica las partes del ojo en la Figura A. Escribe la letra correcta en cada espacio en blanco.

_____c_____ **1.** retina

_____f_____ **2.** pupila

_____e_____ **3.** nervio óptico

_____b_____ **4.** iris

_____d_____ **5.** córnea

_____a_____ **6.** lente

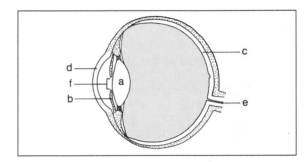

Figura A   *El ojo.*

7. El nervio óptico va _____ al cerebro _____ .

LOS OÍDOS

Las vibraciones causan los sonidos. Se describe a continuación la trayectoria de las vibraciones a través del oído. Identifica cada parte por la letra correspondiente.

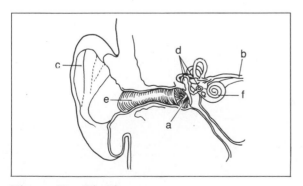

Figura B   *El oído.*

_____c_____ **1.** Las vibraciones de aire las "recoge" el <u>oído externo.</u>

_____e_____ **2.** Las vibraciones pasan por el <u>conducto auditivo.</u>

_____a_____ **3.** Las vibraciones hacen vibrar el <u>tímpano.</u>

_____d_____ **4.** El tímpano deja pasar las vibraciones a tres <u>huesecillos.</u>

_____f_____ **5.** El último hueso transmite las vibraciones a la <u>cóclea,</u> que tiene forma de caracol.

_____b_____ **6.** Por dentro, la cóclea tiene pelitos microscópicos que vibran y también contiene un líquido. Las vibraciones se transmiten al <u>nervio</u> <u>auditivo.</u>

7. ¿Adónde conduce el nervio auditivo? _____al cerebro_____

LA LENGUA

La lengua es sensible a determinadas sustancias químicas. Ya sabes que hay diferentes tipos de sabores: dulce, amargo, agrio y salado. En la lengua hay cuatro clases de receptores especializados que se llaman papilas gustativas. Cada clase de papila gustativa es sensible a un sabor en particular. Están ubicadas en diferentes partes de la lengua.

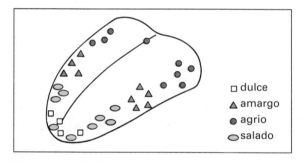

□ dulce
△ amargo
● agrio
⊖ salado

Figura C *La lengua.*

1. Las papilas gustativas en la parte de atrás de la lengua perciben sabores

_____agrios_____.

2. Las papilas gustativas por el medio de los lados perciben sabores

_____amargos_____.

3. Las papilas gustativas en la punta de la lengua perciben sabores_____dulces_____.

4. Las papilas gustativas en los lados, que están más hacia la punta, perciben sabores

_____salados_____.

5. Las papilas gustativas envían mensajes al _____cerebro_____.

¿Qué es el sistema nervioso?

20

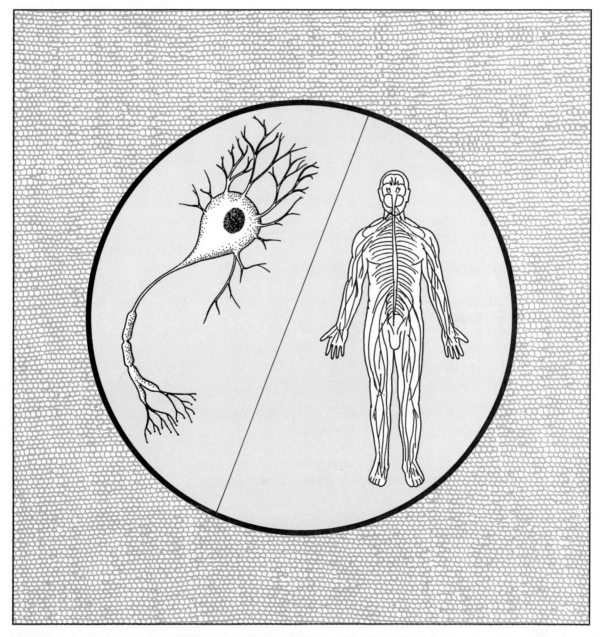

sistema nervioso: sistema del cuerpo que consiste en el cerebro, la médula espinal y todos los nervios que controlan las actividades del cuerpo

neurona: célula nerviosa

LECCIÓN 20 | ¿Qué es el sistema nervioso?

Cada escuela tiene una oficina. Es un lugar muy importante. Los mensajes se entregan en la oficina. También se envían mensajes desde la oficina. La mayoría de los planes para toda la escuela se hacen en la oficina.

En el cuerpo, el **sistema nervioso** se encarga de las tareas de recibir y enviar mensajes. El sistema nervioso controla todas las actividades del cuerpo. El sistema nervioso consiste en el cerebro, la médula espinal y los nervios que se ramifican.

Solamente el cerebro y la médula espinal forman el <u>sistema nervioso central.</u>

Has aprendido que los órganos de los sentidos reciben estímulos. ¿Pero qué sucede con los estímulos después de recibirlos? Por ejemplo, ¿cómo decides contestar el teléfono o levantarte la mano durante clases?

El sistema nervioso funciona de la siguiente manera.

• Los estímulos de los órganos de los sentidos se transforman en impulsos eléctricos.

• Estos impulsos eléctricos no permanecen en los órganos de los sentidos. Los nervios transportan los impulsos al cerebro y a la médula espinal.

• El cerebro decide lo que significa cada estímulo. El cerebro también decide cómo responder a cada estímulo.

• Los nervios se llevan los mensajes de "quehaceres" hacia fuera del cerebro. Los mensajes van a la parte del cuerpo que va a responder a los estímulos.

La mayoría de los mensajes de "quehaceres" van a los músculos. Algunos, sin embargo, van a las glándulas. La mayoría de las respuestas las realizan los músculos.

Nota: En algunos casos, es la médula espinal, y no el cerebro, que recibe y envía mensajes sobre cómo responder a un estímulo. Aprenderás más acerca de esto en la Lección 22.

LAS CÉLULAS NERVIOSAS

Los nervios del sistema nervioso consisten en células nerviosas. Cada célula nerviosa es una **neurona**.

Las neuronas están bien adaptadas para realizar su trabajo de llevar mensajes. Un grupo de neuronas se parece a una hilera de teléfonos de la era espacial.

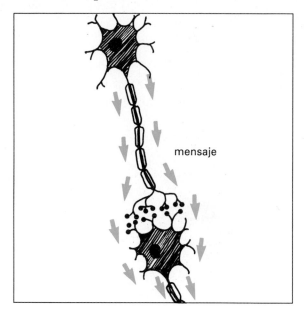

mensaje

Mira la Figura A. Muestra un mensaje que se está moviendo a lo largo de dos neuronas.

Las neuronas forman un camino por el que viajan los impulsos eléctricos. En un extremo del camino está un órgano del sentido. En el otro extremo está el músculo o la glándula que responde a los estímulos.

Figura A

LA MÉDULA ESPINAL

Hay treinta y un pares de nervios que se ramifican de la médula espinal. Estos nervios están dentro de la columna vertebral. La columna vertebral los protege.

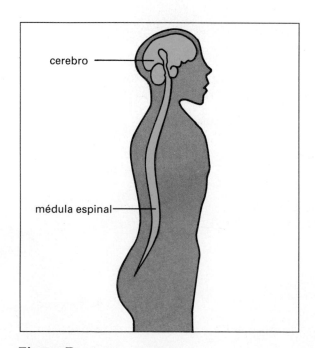

cerebro

médula espinal

La médula espinal se extiende a lo largo del centro de la espalda. Se extiende desde la base del cerebro hasta el hueso caudal.

Algunas respuestas urgentes deben darse muy rápidamente. No queda tiempo para dejar que el cerebro decida cómo responder. Una demora puede resultar en una grave herida —o hasta la muerte.

En estos casos, la médula espinal —en vez del cerebro— organiza la respuesta. Así, la respuesta se realiza antes de que el mensaje haya llegado al cerebro.

Estas respuestas de urgencia a los estímulos se llaman reflejos. Aprenderás más acerca de los reflejos en la Lección 22.

Figura B

- Algunos nervios llevan mensajes al cerebro y a la médula espinal.

- Otros nervios llevan mensajes hacia fuera del cerebro y de la médula espinal.

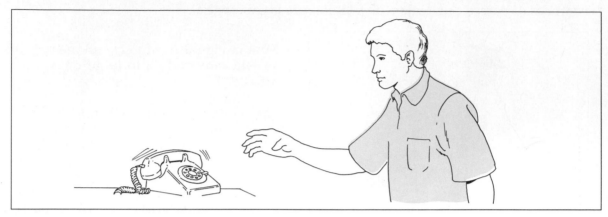

Figura C

1. Los nervios que transportan los estímulos van _____hacia_____ el cerebro y la médula espinal.

   hacia, hacia fuera de

2. Los nervios que llevan mensajes para respuestas van ____hacia fuera de____ la médula espinal.

   hacia, hacia fuera de

3. ¿Qué forma de energía son los impulsos nerviosos?___energía eléctrica___

BUSCA LAS PARTES

Busca las partes del sistema nervioso. Escribe los nombres de las partes al lado de las letras correspondientes. Puedes escoger de la lista.

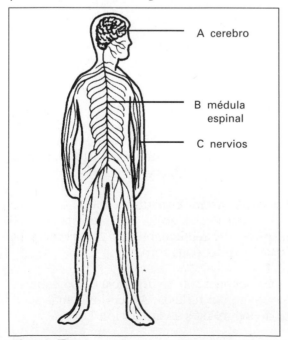

A cerebro

B médula espinal

C nervios

médula espinal
nervios
cerebro

Nombra las partes que forman el sistema nervioso central.

_____el cerebro_____

_____la médula espinal_____

Figura D

COMPLETA LA ORACIÓN

Completa cada oración con una palabra o una frase de la lista de abajo. Escribe tus respuestas en los espacios en blanco. Se pueden usar algunas palabras más de una vez.

nervios   envía   músculos
una dirección   médula espinal   hacia
recibe   hacia fuera   cerebro
columna vertebral   estímulos   respuesta

1. El sistema nervioso _____recibe_____ y _____envía_____ mensajes.

2. Las partes del sistema nervioso son el _____cerebro_____ , la _____médula espinal_____ y los _____nervios_____ .

3. Los nervios llevan los mensajes solamente en _____una dirección_____ .

4. Algunos nervios llevan mensajes _____hacia_____ el cerebro y la médula espinal. Otros nervios llevan mensajes _____hacia fuera_____ del cerebro y de la médula espinal.

5. Los_____estímulos_____ los llevan los nervios al cerebro y a la médula espinal.

6. Los mensajes de _____respuesta_____ se llevan hacia fuera del cerebro y de la médula espinal.

7. El_____cerebro_____ "decide" qué hacer con la mayoría de los estímulos.

8. La mayoría de los mensajes de respuesta se envían a los_____músculos_____ .

9. La mayoría de las respuestas las realizan los _____músculos_____ .

10. La médula espinal está protegida por la _____columna vertebral_____ .

HACER CORRESPONDENCIAS

Empareja cada término de la Columna A con su descripción en la Columna B. Escribe la letra correcta en el espacio en blanco.

	Columna A		Columna B
__b__	1. las partes del sistema nervioso	a)	un movimiento
__c__	2. un estímulo	b)	el cerebro, la médula espinal y los nervios
__a__	3. una respuesta	c)	señal para hacer algo
__e__	4. el cerebro y la médula espinal	d)	llevan mensajes
__d__	5. los nervios	e)	sistema nervioso central

Figura E

1. Nombra los órganos de los sentidos.

los ojos	la piel
los oídos	la boca (lengua)
la nariz	

2. Cuatro de los órganos de los sentidos tienen nervios que conducen directamente al cerebro. ¿Cuáles son? (Piensa en tu propio cuerpo.)

los ojos	la nariz
los oídos	la boca (lengua)

3. La mayoría de los nervios de uno de estos órganos de los sentidos van a la médula espinal antes de ir al cerebro. ¿Cuál de los órganos es éste? (Piensa en tu propio cuerpo.)

    la piel

AMPLÍA TUS CONOCIMIENTOS

Las respuestas que se planifican son respuestas voluntarias. Las respuestas que no se planifican son respuestas involuntarias.

1. ¿Qué es la respuesta voluntaria más reciente que hiciste?

    Las respuestas variarán.

2. ¿Puedes nombrar una respuesta involuntaria que probablemente estás haciendo ahora mismo?

    Las respuestas variarán. Posibles respuestas son: el latido del corazón, el parpadeo, la aspiración.

¿Cuáles son las partes del cerebro?

21

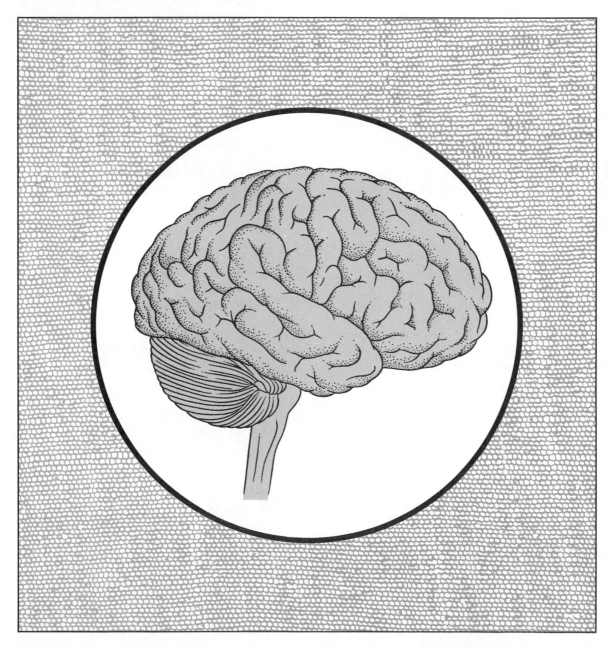

cerebelo: la parte del cerebro que controla el equilibrio y el movimiento del cuerpo
cerebro: la parte grande del órgano del cerebro que controla los sentidos y el razonamiento
médula: la parte del cerebro que controla el ritmo del latido del corazón y el ritmo de la aspiración

LECCIÓN 21 | ¿Cuáles son las partes del cerebro?

El cerebro es la central de control del cuerpo. El cerebro consiste en una masa de tejido nervioso. El cráneo lo protege.

El trabajo principal del cerebro es recibir mensajes y decidir qué se va a hacer. Estos mensajes pueden venir desde dentro o desde fuera del cuerpo. El cerebro responde a los mensajes y luego controla todas las actividades del cuerpo.

El órgano del cerebro consiste en tres partes principales: el **cerebro**, el **cerebelo** y la **médula**.

Las distintas partes del cerebro controlan distintas actividades.

EL CEREBRO El cerebro es la parte más grande del órgano del cerebro. Controla los sentidos, el pensamiento, la memoria y el aprendizaje. Controla también ciertos músculos voluntarios. Utilizas los músculos voluntarios para hablar, caminar y escribir.

EL CEREBELO El cerebelo se sitúa en la parte de atrás del órgano del cerebro. Trabaja con el cerebro para controlar los músculos voluntarios. El cerebelo controla los movimientos del cuerpo. El cerebelo también te ayuda a mantener el equilibrio.

LA MÉDULA La médula es la parte más pequeña del órgano del cerebro. Es como un tallo grueso en la base del cráneo. La médula junta el cerebro con la médula espinal. Controla muchas funciones involuntarias esenciales. Por ejemplo, la médula controla la aspiración, la digestión y el latido del corazón. También controla los estornudos y los parpadeos.

Mira la Figura A. Enseña las partes del cerebro que controlan ciertas actividades. Luego, contesta las preguntas que siguen.

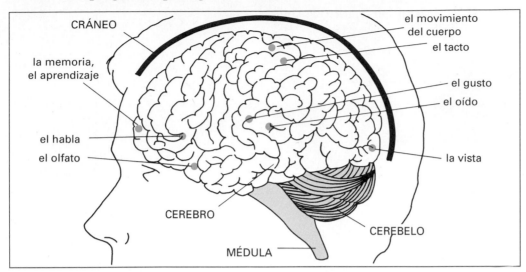

Figura A

1. ¿Qué podría pasar si recibieras un golpe fuerte en la parte de atrás de la cabeza?

   tener dificultades de ver

2. ¿Qué podría pasar si recibieras un golpe fuerte en la parte delantera de la cabeza?

   perder la memoria

3. ¿Qué podría pasar si recibieras un golpe fuerte al lado de la cabeza hacia el centro?

   perder el sentido del oído o del gusto

4. El cerebro es una de las partes del cuerpo que tiene más protección.

   a) ¿Qué protege al cerebro? el cráneo

   b) ¿Por qué lo protege tan bien? Es duro.

   c) ¿De qué es? hueso

5. **a)** ¿Cuál es la parte más grande del órgano del cerebro? el cerebro

   b) ¿Cuál es la parte más pequeña del órgano del cerebro? la médula

ROTULA EL DIAGRAMA

Escribe los nombres de las partes del órgano del cerebro.

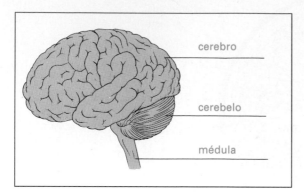

cerebro

cerebelo

médula

Figura B

COMPLETA LA TABLA

Hay doce acciones en la lista de abajo. Cada acción la controla una parte diferente del cerebro. Haz una marca (✔) en la casilla o las casillas correspondientes a cada acción.

ACCIÓN		CONTROLADO POR		
		cerebro	cerebelo	médula
1.	oír	✔		
2.	ver	✔		
3.	movimiento del cuerpo	✔	✔	
4.	latido del corazón			✔
5.	saborear	✔		
6.	equilibrio		✔	
7.	estornudar			✔
8.	aprender	✔		
9.	aspirar			✔
10.	hablar	✔		
11.	recordar	✔		
12.	parpadear			✔

En el espacio en blanco, escribe la letra de la respuesta que mejor termine cada oración.

_____c_____ **1.** La central de control del cuerpo es

    a) el ojo.   **b)** el corazón.

    c) el cerebro.   **d)** los pulmones.

_____a_____ **2.** La parte más grande del órgano del cerebro es

    a) el cerebro.   **b)** el cerebelo.

    c) la médula.   **d)** los nervios.

_____c_____ **3.** El trabajo principal del cerebro es llevar

    a) oxígeno.   **b)** sangre.

    c) mensajes.   **d)** hormonas.

_____b_____ **4.** El cerebro se junta a la médula espinal mediante

    a) el cerebro.   **b)** la médula.

    c) el cerebelo.   **d)** el oído interno.

_____d_____ **5.** El latido del corazón y la aspiración están controlados por

    a) el cerebro.   **b)** los riñones.

    c) el cerebelo.   **d)** la médula.

HACER CORRESPONDENCIAS

Empareja cada término de la Columna A con su descripción en la Columna B. Escribe la letra correcta en el espacio en blanco.

	Columna A		Columna B
_c_	**1.** la médula	**a)**	controla el aprendizaje
_e_	**2.** el cerebelo	**b)**	central de control
_d_	**3.** el cráneo	**c)**	parte más pequeña del cerebro
_a_	**4.** el cerebro	**d)**	protege al cerebro
_b_	**5.** todas las partes del cerebro	**e)**	controla el equilibrio

CIENCIA *EXTRA*

Está en los ojos

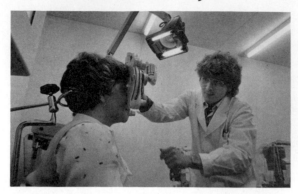

Todos los órganos del cuerpo están propensos al deterioro y a las enfermedades. Los ojos no son excepciones.

Un problema del ojo muy común que surge en los de mayor edad se llama las cataratas. Una catarata aflige al cristalino del ojo. El cristalino refleja la luz que pasa por él hasta la retina (la capa nerviosa del ojo). También cambia de forma un poco para enfocarse en los objetos de cerca, por ejemplo, para leer o coser.

Un cristalino sano es tan transparente como el vidrio. A veces, por razones que no se entienden bien, un cristalino o los dos se ponen opacos. Un cristalino opaco se llama una catarata. Ésta limita mucho la vista. Permite que pase la luz, pero sin detalle. Sólo un revoltijo brillante de luz llega a la retina. La vista puede empeorarse tanto que una persona afligida de cataratas avanzadas en los dos ojos se puede considerar oficialmente ciega.

Por suerte, hay una solución a las cataratas. No es posible aclarar la opacidad del cristalino afligido, pero sí es posible extraerlo. Los cirujanos vienen haciéndolo por siglos.

La extracción de la catarata es sólo parte de la cura. Hasta hace unos 20 años, la mayoría de las personas que se operaron, se ponían lentes muy potentes para poder ver bien. Los lentes sustituían al poder del cristalino natural que se había extraído. Por lo general, la vista era bastante buena, pero no muy natural. Todo se veía aumentado, había distorsión de la vista de lado, y era difícil distinguir las distancias. Se tardaba mucho en acostumbrarse a esta nueva forma de ver. Los lentes eran muy gruesos y pesados, como "botellas de leche", y pesaban muchísimo.

Por suerte, se ha escrito el último capítulo de la "historia de las cataratas" y es muy bueno. Gracias a los esfuerzos de químicos, biotécnicos y cirujanos, se ha perfeccionado un sustituto por el cristalino. Tan pronto como se extraiga el cristalino con cataratas, se inserta un sustituto plástico, o sea, un injerto. El injerto permite la vista natural. Y en la mayoría de los casos, el paciente no tiene que ponerse lentes o sólo los necesita para ver de lejos. A veces se necesitan lentes de potencia mediana para la vista de cerca.

¿Qué es un reflejo?

22

reflejo: respuesta automática a un estímulo

Desde el momento en que naces, puedes hacer ciertas actividades sin ayuda. Lloras, bostezas, los ojos parpadean y los labios esperan alimentos.

Nadie te enseñaste a hacer estas cosas. Naciste con los conocimientos para hacerlas.

Estas clases de respuestas se llaman **reflejos.**

Hay muchos tipos de reflejos. Pero todos se parecen de cierta forma.

• Los reflejos no se aprenden. Son innatos.

• No controlas ni piensas en los reflejos. Ocurren por su propia cuenta. Son respuestas automáticas e involuntarias.

• Todo el tiempo se realiza un reflejo de la misma manera.

En la mayoría de los casos, no te das cuenta de que se realizan los reflejos. Por ejemplo, dar un salto para evitar que te pegue un coche es un reflejo. Respondes sin pensarlo. Te das cuenta de ello sólo después de que haya sucedido la respuesta.

Lo mismo sucede cuando tocas un sartén caliente. Te quitas la mano antes de que el cerebro "se sienta" el calor.

Los reflejos son muy importantes. Nos protegen y nos ayudan a mantenernos vivos. Los reflejos controlan la mayoría de los órganos del cuerpo.

Porque los reflejos son muy importantes

Los reflejos ocurren rápidamente. Es así porque no participa el cerebro. Los controla la médula espinal. Mira el ejemplo que sigue para ayudarte a seguir la trayectoria de un reflejo.

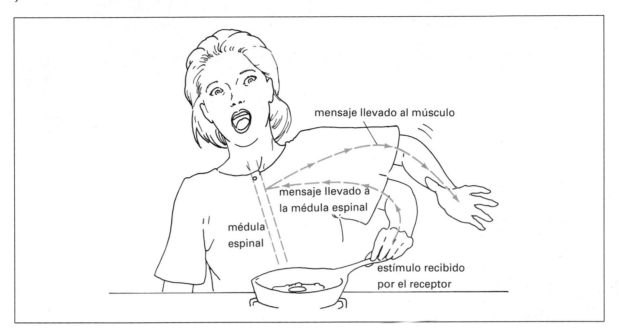

Figura A

El estímulo: tocar un objeto caliente

La respuesta: quitarse la mano

• PRIMERO   Las células de la piel perciben el calor. Los nervios envían el mensaje de "calor" a la médula espinal. La médula espinal decide lo que se debe hacer.

• SEGUNDO   Los nervios llevan este mensaje de "qué hacer" hacia fuera de la médula espinal. El mensaje va a los músculos de la mano.

• TERCERO   El mensaje les dice a los músculos que "suelten" el objeto caliente.

Hasta este punto, el cerebro no se ha dado cuenta de lo sucedido. Sin embargo, mientras los mensajes se mueven a lo largo de la trayectoria de los reflejos, la médula espinal le envía mensajes al cerebro. Cuando el cerebro recibe estos mensajes, envía mensajes a la mano. Entonces, te sientes dolor. Por esta razón, una acción de reflejo generalmente la sigue un fuerte grito de dolor.

Los reflejos controlan los órganos importantes del cuerpo.

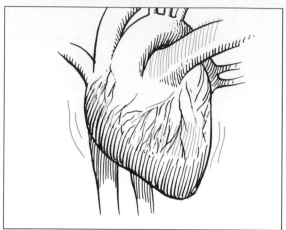

Figura B *Los reflejos controlan el latido del corazón.*

Figura C *Los reflejos controlan la aspiración.*

1. ¿Qué pasa al latido del corazón si te emocionas?

Late más rápido.

2. ¿Qué pasa al latido del corazón si te duermes?

Late más lento.

Los reflejos te protegen de heridas.

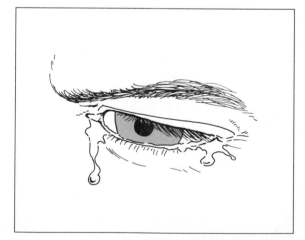

Figura D *Cuando te tropiezas, las manos se mueven automáticamente para proteger a la cara.*

Figura E *Cuando el polvo se mete en los ojos, te salen lágrimas y los párpados parpadean — automáticamente.*

3. ¿Qué parte del cuerpo generalmente proteges primero, automáticamente?

la cabeza

4. ¿Cómo te protege este reflejo?

protege los ojos de sustancias dañinas; evita que recibas un golpe a la cabeza

¿Qué es el sistema endocrino?

23

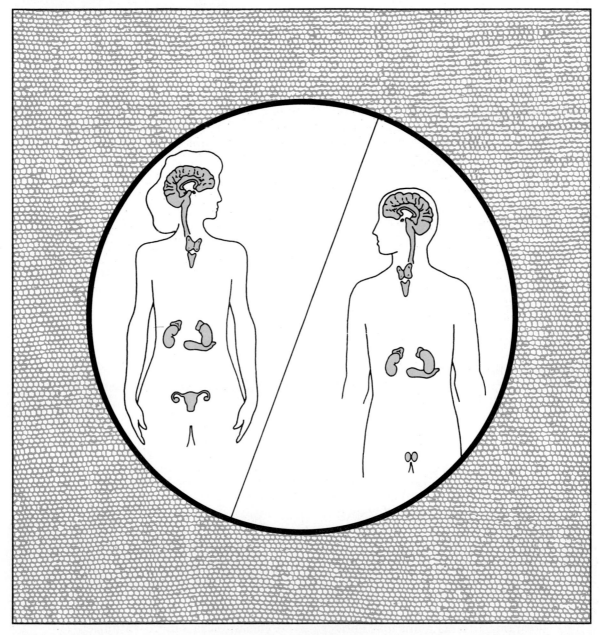

sistema endocrino: sistema del cuerpo que consiste en aproximadamente diez glándulas endocrinas que ayudan al cuerpo a responder a los cambios en el medio ambiente

hormona: mensajero químico que regula las funciones del cuerpo

LECCIÓN 23 | ¿Qué es el sistema endocrino?

Las condiciones tanto por dentro como por fuera del cuerpo siempre cambian. Algunos de estos cambios pueden ser dañinos. El cuerpo tiene dos sistemas de órganos que lo ayudan a adaptarse a estos cambios. Son el sistema nervioso y el **sistema endocrino**. Aprendiste del sistema nervioso en unas lecciones anteriores. Ahora, vas a aprender del sistema endocrino.

El sistema endocrino está formado por muchas glándulas. Estas glándulas fabrican mensajeros químicos que se llaman **hormonas**. Las hormonas son sustancias químicas que ayudan al cuerpo a adaptarse a los cambios. Pero, no es todo. Las hormonas también:

• ayudan a controlar las reacciones químicas del cuerpo,
• actúan sobre el envejecimiento y la reproducción y
• ayudan a regular el desarrollo físico y mental.

Ya sabes de algunas glándulas, tales como las glándulas salivales y las glándulas sudoríparas. Pero estas glándulas no son glándulas endocrinas. Entonces, ¿cuáles son las diferencias entre las glándulas endocrinas y las que no son endocrinas?

LAS GLÁNDULAS NO ENDOCRINAS

Las glándulas no endocrinas también se llaman las glándulas exocrinas. Las sustancias fabricadas por las glándulas exocrinas corren por tubos que se llaman conductos o canales. Estas sustancias químicas se vacían directamente en el lugar donde van a usarse.

Por ejemplo, las glándulas salivales secretan enzimas digestivas. Estas enzimas corren por conductos. Los conductos se vacían directamente donde se van a usar estas enzimas. La saliva se vacía directamente en la boca.

LAS GLÁNDULAS ENDOCRINAS

Las glándulas endocrinas son diferentes. Las hormonas endocrinas

• no se mueven por conductos y
• no se vacían directamente donde se van a usar.

Las hormonas de las glándulas endocrinas se vacían en la sangre. Entonces, la sangre lleva las hormonas a los lugares donde van a realizar su trabajo.

En la Figura A se ven las glándulas que forman el sistema endocrino. Cada glándula se describe a continuación. Trata de identificar a cada glándula por su descripción.

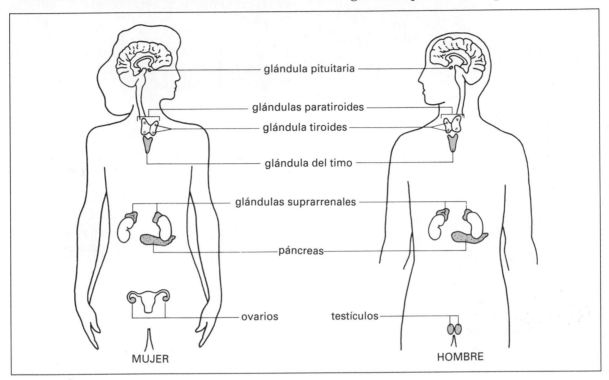

Figura A

GLÁNDULA PITUITARIA: una pequeña glándula redonda ubicada en la base del cerebro.

GLÁNDULA TIROIDES: una glándula con la forma de mariposa ubicada en la base del cuello.

GLÁNDULAS PARATIROIDES: cuatro pequeñas glándulas colocadas firmemente en la parte trasera de la glándula tiroides.

TIMO: ubicado en la parte superior del pecho.

GLÁNDULAS SUPRARRENALES: dos glándulas separadas. Una glándula suprarrenal se ubica encima de cada riñón.

ISLOTES DE LANGERHANS: glándulas esparcidas por todo el páncreas.

GÓNADAS: (glándulas sexuales) Estas glándulas son diferentes en los hombres y en las mujeres.

En los hombres, las gónadas se llaman TESTÍCULOS. Hay dos testículos. Están ubicados en la parte inferior de la ingle.

En las mujeres, las gónadas se llaman OVARIOS. Hay dos ovarios. Los ovarios tienen forma de almendras. Están ubicados en la parte inferior de la cavidad abdominal.

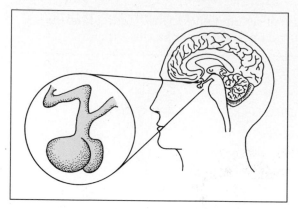

Figura B

GLÁNDULA PITUITARIA. Esta glándula fabrica muchas hormonas. Algunas regulan el crecimiento y la producción de células sexuales.

La glándula pituitaria también controla otras glándulas. Por esta razón se considera la "glándula maestra".

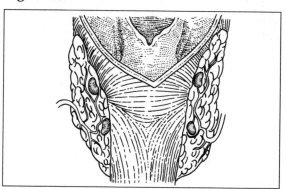

Figura C

GLÁNDULA TIROIDES. Esta glándula regula el metabolismo. El metabolismo es el conjunto de todas las reacciones químicas que se realizan dentro de un organismo.

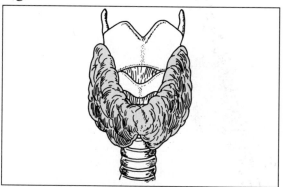

Figura D

GLÁNDULAS PARATIROIDES. Regulan el uso de los minerales de calcio y fósforo.

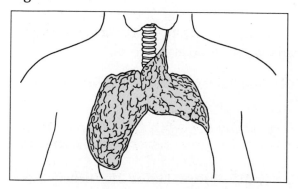

Figura E

TIMO. Controla el crecimiento de ciertos glóbulos blancos que ayudan al cuerpo a protegerse contra las infecciones.

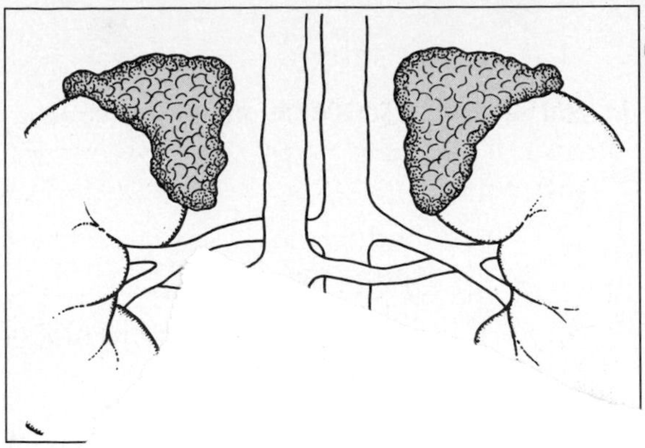

Fi[…]

GLÁNDULAS SUPRARRENALES. Controlan la reacción de los músculos en momentos de tensión, especialmente en casos de tensión repentina e inesperada.

[…] **LANGERHANS.** Fabrican […] de insulina. La insulina ayuda […] la cantidad de azúcar que hay […]

[…]**NADAS.** Las gónadas son las glándu[…] sexuales. Las glándulas sexuales son […]ferentes en los hombres y en las mujeres. […]as glándulas sexuales fabrican las células […]necesarias para la reproducción.

[…]on los testículos. Los testículos fabrican las células […] espermatozoides. Los testículos también fabrican […]

[…] controlan el desarrollo de las características de hom[…] […] y la barba.

[…]son los ovarios. Los ovarios fabrican las células reproduc[…] […]los. También fabrican las hormonas sexuales femeninas.

[…]nas controlan el desarrollo de las características de mujeres […]niento de las caderas.

[…]sultar en la ___ […] del mineral de ___ yo[…]

ceguera nocturna

[…]JS

Un hombre consulta con su médico. Tiene síntomas de huesos débiles y dientes débiles. El médico sospecha que la dieta del paciente no le proporciona suficiente calcio y fósforo. Sin embargo, las pruebas indican un nivel normal de cada uno de estos nutrimentos. ¿Qué vitaminas le pueden faltar a este hombre?

C, D

46

Completa cada oración con una palabra o una frase de la lista de abajo. Escribe tus respuestas en los espacios en blanco.

cambia	hormonas	endocrino
ovarios	se adapta	químicas
todas las partes	dañinos	flujo de sangre
conductos	nervioso	testículos

1. El medio ambiente del cuerpo siempre ___cambia___ .

2. Algunos de estos cambios pueden ser ___dañinos___ .

3. El cuerpo siempre ___se adapta___ a estos cambios.

4. Los dos sistemas de órganos que ayudan al cuerpo a adaptarse a los cambios son el sistema ___nervioso___ y el sistema ___endocrino___ .

5. Las glándulas endocrinas fabrican sustancias químicas que se llaman ___hormonas___ .

6. Las glándulas endocrinas no tienen ___conducto___ . Sus hormonas se vacían directamente en el ___flujo de sangre___ .

7. La sangre lleva las hormonas a ___todas las partes___ del cuerpo.

8. Las hormonas ayudan al cuerpo a adaptarse a los cambios. También ayudan a regular las reacciones ___químicas___ en el cuerpo.

9. Las gónadas masculinas son los ___testículos___ .

10. Las gónadas femeninas son los ___ovarios___ .

A veces los prefijos te pueden ayudar a entender o a recordar el significado de palabras científicas. Lee los siguientes prefijos y escribe una breve definición de cada una.

endoesqueleto, endocrino

endo- ___dentro___

suprarrenal

supra- ___sobre, arriba___

¿Qué es el comportamiento?

24

comportamiento: respuesta de un organismo a su medio ambiente
respuesta condicionada: comportamiento en que un estímulo se sustituye por otro

En casa o en la escuela el comportamiento se refiere a portarse bien o mal. Para un científico, el **comportamiento** significa todas las clases de acciones. Quiere decir las reacciones a todos los estímulos. También significa la manera en que aprendemos.

Los científicos estudian el comportamiento. Tratan de averiguar por qué nos comportamos en la manera en que nos comportamos. También tratan de averiguar cómo se puede cambiar el comportamiento.

Uno de los científicos que estudiaba el comportamiento fue un ruso que se llamaba Ivan Pavlov. Hace unos 75 años, Pavlov hacía experimentos especiales con perros. Sabía que los perros babeaban cada vez que veían u olían la comida. Ésta es una respuesta reflexiva normal.

Pavlov quería averiguar si se pudiera cambiar este reflejo. Entonces, hizo lo siguiente: Pavlov tocaba una campana cada vez que le traía la comida a un perro. Cada vez se le salía la baba al perro. Recuerda que la comida siempre hace que un perro babee.

Luego, Pavlov hizo algo nuevo. Solamente tocó la campana. No le dio comida al perro. ¿Qué crees que sucedió? Aunque no había nada de comida, se le hizo agua la boca al perro. El perro había aprendido que la campana siempre resultaba en la comida. La campana ya sustituyó a la comida como un estímulo que causaba el babeo.

Un comportamiento en que un estímulo se sustituye a otro estímulo se llama una **respuesta condicionada**. El perro de Pavlov fue condicionado a responder a un nuevo tipo de estímulo. ¿Qué fue este nuevo estímulo? El condicionamiento es una forma sencilla de aprendizaje.

EL EXPERIMENTO DE PAVLOV

Figura A

Figura B

Figura C

Mira la Figura A.

1. ¿Qué estímulo le llega al perro?

   la comida

2. ¿Qué es la respuesta a este estímulo?

   el babeo

3. El perro ___no puede___ controlar esta

   puede, no puede

   respuesta.

4. La respuesta es___innata___.

   innata, aprendida

Mira la Figura B.

5. ¿Qué estímulo nuevo se presentó?

   la campana

6. Por lo general, ¿causa el babeo este

   estímulo?___no___

7. Los dos estímulos llegan al perro

   al mismo tiempo.

   al mismo tiempo, a tiempos diferentes

Mira la Figura C.

8. ¿Se ha quitado cuál de los estímulos?

   la comida

9. ¿Cuál de los estímulos llega al perro?

   la campana

10. Ahora, sólo al tocar la campana el

    perro___sí___ babea.

    sí, no

11. Sin condicionamiento, el sonido de

    una campana___no___ causa el babeo.

    sí, no

12. El perro babea porque el sonido de la campana se ha ligado a _____la comida_____ .

13. El perro se ha experimentado una clase sencilla de _____condicionamiento_____ .

14. Este tipo de comportamiento se llama _____una respuesta condicionada_____ .

un reflejo, una respuesta condicionada

Ahora, mira la Figura B de nuevo.

15. El diagrama no lo muestra, pero sabemos que los dos estímulos llegaban juntos al

perro_____muchas veces_____ .

unas pocas veces, muchas veces

MÁS SOBRE EL CONDICIONAMIENTO

Figura D

El perro ha aprendido a relacionar el sonido de "siéntate" con una golosina.

El recibir las golosinas lo ha condicionado a sentarse.

Figura E

Este bebé ha aprendido a recibir atención cuando llora.

Figura F

¿Cuáles son los dos estímulos que los peces aprendieron a relacionar?

_____golpecitos y comida_____

CIERTO O FALSO

En el espacio en blanco, escribe "Cierto" si la oración es cierta. Escribe "Falso" si la oración es falsa.

Falso	**1.**	El comportamiento sólo significa portarse bien o mal.
Cierto	**2.**	El comportamiento representa todas las clases de respuestas.
Cierto	**3.**	Los científicos estudian cómo se comportan los seres vivos.
Falso	**4.**	El comportamiento siempre ocurre de la misma manera.
Falso	**5.**	Pavlov estudió las gorilas.
Cierto	**6.**	Podemos aprender de los seres humanos al estudiar los animales.
Falso	**7.**	Se aprende un reflejo.
Cierto	**8.**	Una respuesta condicionada es una respuesta aprendida.
Falso	**9.**	Una campana siempre hace que un perro babee.
Falso	**10.**	Una campana nunca puede hacer babear a un perro.

HACER CORRESPONDENCIAS

Empareja cada término de la Columna A con su descripción en la Columna B. Escribe la letra correcta en el espacio en blanco.

	Columna A		Columna B
d	**1.** Pavlov	**a)**	una forma sencilla de aprendizaje
a	**2.** el condicionamiento	**b)**	todos los tipos de respuestas
c	**3.** un reflejo	**c)**	respuesta innata
b	**4.** el comportamiento	**d)**	estudió el comportamiento de perros
e	**5.** una respuesta condicionada	**e)**	respuesta con un estímulo que se ha cambiado

PALABRAS REVUELTAS

A continuación hay varias palabras que has usado en esta lección. Pon las letras en orden y escribe tus respuestas en los espacios en blanco.

1. PROTACOMENMITO   COMPORTAMIENTO

2. LOFEJER   REFLEJO

3. ÍSLUEMOT   ESTÍMULO

4. VVALOP   PAVLOV

5. AUSPERTES   RESPUESTA

AMPLÍA TUS CONOCIMIENTOS

¿Cómo se puede "desaprender" una respuesta condicionada? Emplea el experimento de Pavlov del "babeo" como ejemplo.

Las respuestas variarán. Acepte todas las respuestas lógicas.

¿Cómo aprendes?

25

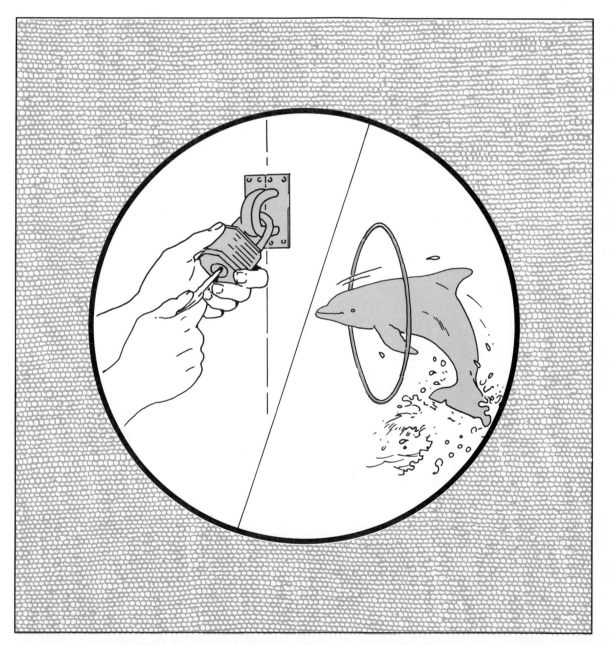

costumbre: comportamiento aprendido que ha llegado a ser automático

LECCIÓN 25 | ¿Cómo aprendes?

¿Te acuerdas de cuando aprendiste a andar en bicicleta? Es probable que no fuera nada fácil. ¿Cuántas veces te caíste? Al principio tenías que pensar en cada paso. Pensaste en los pedales. Pensaste en cómo guiar la bicicleta. Ahora no piensas en estos pasos. Simplemente sales a andar en bicicleta. Después de muchos intentos y práctica, has aprendido a andar en bicicleta. Lo haces sin pensar . . . Lo haces automáticamente.

El comportamiento aprendido que ha llegado a ser automático se llama una **costumbre**.

Muchas de tus actividades diarias son costumbres. Entrar en el salón de clases todos los días y sentarte en el mismo asiento pueden llegar a ser costumbres. Las acciones que te ensayas mucho pueden llegar a ser costumbres. Tirar una pelota de la misma manera una y otra vez puede formar una costumbre que mejore tus destrezas en el juego.

Ahora sabes que el aprendizaje puede suceder por condicionamiento y por costumbre. Pero hay otras maneras. También puedes aprender mediante el método de prueba y desacierto, el de memoria y el de razonamiento.

- El método de <u>prueba</u> y <u>desacierto</u>, o de tanteos, significa equivocarse y aprender de los errores. Intentas diferentes maneras de hacer algo hasta que encuentres la manera perfecta.

¿Cómo averiguarías cuál de las llaves entre muchas es la llave de un candado?

- La <u>memoria</u> mantiene la información almacenada en el cerebro. Puedes utilizar esta información en cualquier momento que la necesites.

¿Cuál es tu dirección? ¿Cómo se llaman tus maestros? Tu memoria te da las respuestas a estas preguntas rápidamente.

- El <u>razonamiento</u> te ayuda a pensar bien en un problema. Piensas en todo lo que te podría ayudar a encontrar la respuesta.

¿Qué harías para hallar un libro perdido? Probablemente, lo primero que dirías es: "Ahora, déjame ver, dónde estuve?" <u>Esto es usar el razonamiento</u>.

COMPLETA LA ORACIÓN

Completa cada oración con una palabra o una frase de la lista de abajo. Escribe tus respuestas en los espacios en blanco. Se pueden usar algunas palabras más de una vez.

cerebro	memoria	costumbre
prueba y desacierto	condicionamiento	razonamiento
seres humanos	nervioso	

1. Los cinco métodos de aprendizaje son __prueba y desacierto__ , __memoria__ , __condicionamiento__ , __costumbre__ y __razonamiento__ .

2. Aprender al sustituir un estímulo se llama __condicionamiento__ .

3. Aprender mediante ensayos se llama __costumbre__ .

4. Aprender al intentar por maneras distintas se llama __prueba y desacierto__ .

5. Aprender al almacenar la información se llama __memoria__ .

6. Aprender al pensar se llama el __razonamiento__ .

7. Los __seres humanos__ utilizan el razonamiento para resolver problemas.

8. La memoria es la información almacenada en el __cerebro__ .

9. El cerebro es parte del sistema __nervioso__ .

DIVIÉRTATE AL APRENDER: PRUEBA Y DESACIERTO

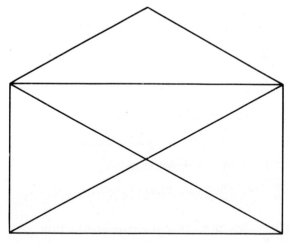

Figura H

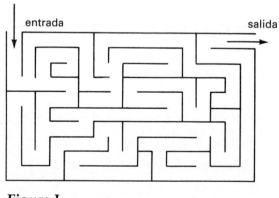

Figura I

1. Dibuja esta figura sin alzar tu lápiz.

2. Busca el camino por este laberinto.

Sigue las pistas para solucionar este crucigrama.

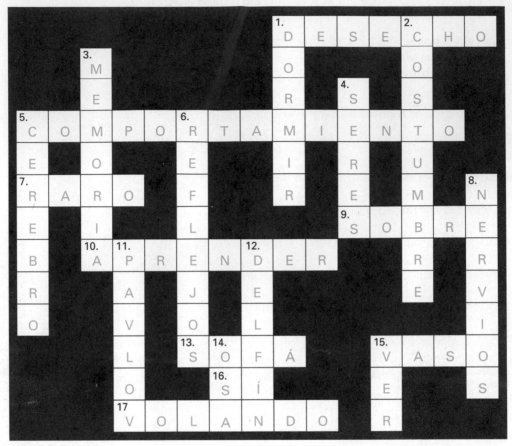

Pistas

Horizontales

1. Dióxido de carbono es un _____.
5. Todas las acciones de un organismo
7. Sinónimo de "extraño"
9. Sinónimo de "encima de"
10. Prueba y desacierto es un método para _____.
13. Un mueble de la sala
15. Una arteria es un _____ sanguíneo.
16. Antónimo de "no"
17. Pájaro en mano vale cien _____.

Verticales

1. Lo que hace uno por la noche
2. Una acción aprendida automática
3. Sabes tu dirección de _____.
4. Los _____ humanos pueden razonar.
5. Parte del sistema nervioso
6. Acciones innatas y automáticas
8. Envían y reciben "mensajes"
11. Científico que hizo experimentos con un perro
12. Animal marino que puede razonar
14. Hembra de la familia oso
15. Con los ojos puedes _____.

¿Cuáles son los órganos reproductores?

26

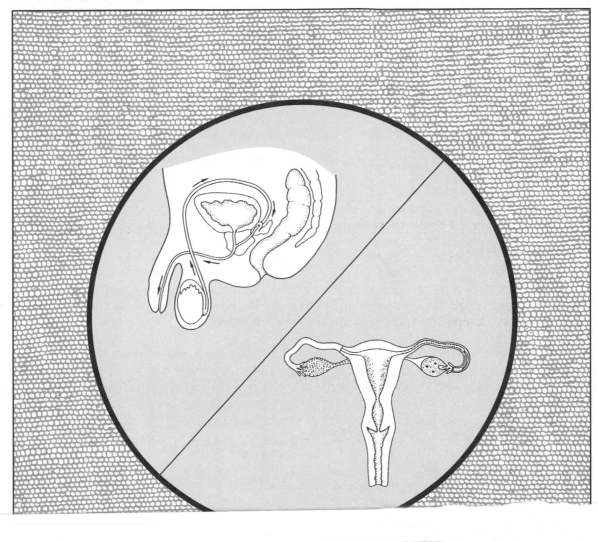

óvulo: célula reproductora femenina
ovarios: órganos reproductores femeninos
espermatozoide: célula reproductora masculina
testículos: órganos reproductores masculinos

LECCIÓN 26 ¿Cuáles son los órganos reproductores?

La reproducción es un proceso vital. Sin ésta, todos los seres vivos se extinguirían.

A diferencia de la mayoría de los otros sistemas del cuerpo, el sistema reproductor es distinto en hombres y en mujeres. Estas diferencias empiezan a surgir tan temprano como seis semanas después de que un bebé empieza a desarrollarse.

Hay dos clases de reproducción: la asexual y la sexual. En la reproducción asexual, sólo se necesita un padre. En la reproducción sexual, se necesitan dos padres, uno masculino y otro femenino.

Los seres humanos y muchos plantas y animales se reproducen sexualmente. El método de la reproducción varía de un organismo a otro, pero una cosa es cierta. Una célula reproductora masculina, un **espermatozoide**, tiene que unirse con una célula reproductora femenina, un **óvulo**. Sólo en este caso pueden comenzar el desarrollo y el crecimiento de un nuevo organismo.

¿Cuáles son las partes de los sistemas reproductores masculinos y femeninos de los seres humanos? En esta lección, vamos a estudiar los sistemas reproductores, tanto el masculino como el femenino, y en qué consiste cada sistema de órganos.

El sistema reproductor femenino tiene cuatro partes principales. Éstas son los **ovarios**, los oviductos, el útero y la vagina. Fíjate en la Figura A y busca cada órgano mientras que se explica su función.

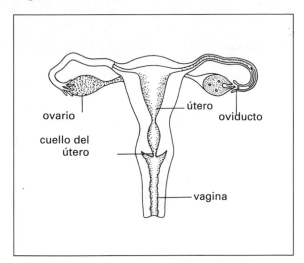

Figura A

Los ovarios

Hay dos ovarios, uno a cada lado del útero. Cada ovario tiene más o menos el tamaño y la forma de una aceituna aplastada y cubierta de bultos. Los ovarios son los principales órganos sexuales femeninos. Los ovarios contienen dos tipos de células. Un tipo de célula produce los óvulos. El otro tipo de célula produce las hormonas. Estas hormonas se encargan del desarrollo de los caracteres sexuales secundarios y del comienzo de la pubertad.

El oviducto

Hay dos oviductos. Cada oviducto se extiende del útero a uno de los ovarios. El lado más cercano al ovario tiene proyecciones como deditos. Los oviductos también se llaman trompas de Falopio.

Una vez al mes uno de los ovarios suelta un óvulo que entra en el oviducto. El óvulo pasa por el oviducto y entra en el útero. La fecundación, cuando ocurra, toma lugar dentro de uno de los oviductos.

El útero

órgano hueco y muscular con paredes gruesas. Está dentro del útero que se desarrolla un embrión. El extremo inferior del útero se llama el cuello del útero.

La vagina

El cuello del útero une el útero y la vagina. Durante el parto, el bebé pasa por la vagina. Por esta razón, la vagina también se llama el canal o el conducto del parto.

La Figura B muestra los órganos reproductores femeninos. Sin referirte a la página anterior, trata de identificarlos por letra.

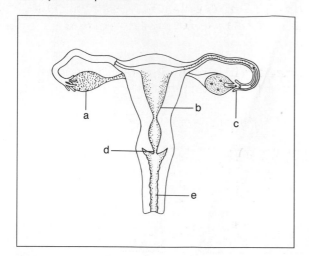

1. útero _____b_____

2. ovarios _____a_____

3. vagina _____e_____

4. oviducto _____c_____

5. cuello del útero_____d_____

Figura B

Contesta las siguientes preguntas sobre el sistema reproductor femenino.

1. ¿Cómo se llaman las células reproductoras femeninas?_____óvulos_____

2. ¿Dónde se almacenan los óvulos? _____en los ovarios_____

3. ¿Dónde se desarrolla un embrión?_____en el útero_____

4. ¿Dónde sucede la fecundación?_____en el oviducto (la trompa de Falopio)_____

5. ¿Cómo llega un óvulo al útero?_____pasa por el oviducto_____

MÁS SOBRE LOS ÓVULOS

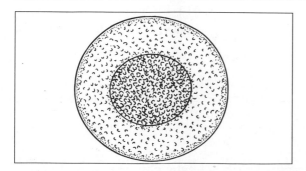

Un óvulo tiene el tamaño de la punta de alfiler. En comparación con las otras células, el óvulo es grande. En realidad, se puede ver un óvulo sin usar un microscopio.

Cada óvulo es capaz de desarrollarse en un embrión, si se une con una célula sexual masculina.

Figura C

Desde el momento en que nace, una niña pequeña tiene todas las células de óvulos que va a tener por toda la vida. Sin embargo, los óvulos no están completamente desarrollados. Las células de óvulos empiezan a desarrollarse cuando comienza la pubertad. Las muchachas generalmente empiezan la pubertad entre las edades de 10 a 14 años. Se caracteriza la pubertad por el comienzo de la menstruación.

El ciclo menstrual ocurre cada 28 a 32 días. Comienza con la entrada de las hormonas dentro del cuerpo. Utiliza la Figura D para seguir la trayectoria de un óvulo.

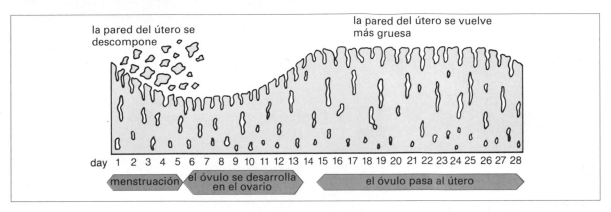

Figura D

- Durante el primer paso, una hormona hace que un óvulo se desarrolle. La pared uterina empieza a volverse gruesa con vasos sanguíneos.

- Durante el segundo paso, el ovario echa el óvulo en el oviducto. Este paso se llama la ovulación.

- Durante el tercer paso, la pared uterina sigue poniéndose más gruesa. Este paso prepara el útero para un embrión, si el óvulo se ha fecundado.

- Sólo ocurre el cuarto paso si no se ha fecundado el óvulo. El tejido, la sangre y el moco que formaban la pared uterina se descomponen y se evacuan del cuerpo. Este proceso se llama la menstruación.

El sistema reproductor masculino también tiene cuatro partes principales. Éstas son los **testículos**, la uretra, el conducto deferente y el pene. Fíjate en la Figura E y busca cada órgano mientras que se explica su función.

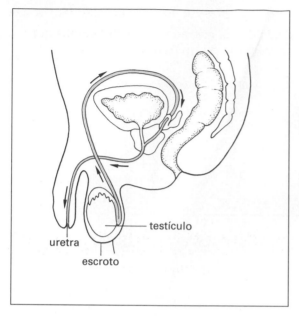

Figura E

Los testículos

Los testículos son los órganos reproductores masculinos principales. Los testículos, al igual que los ovarios, contienen dos tipos de células. Un tipo de célula produce los espermatozoides. El otro tipo de célula produce las hormonas que se encargan del desarrollo de los caracteres sexuales secundarios. Los testículos se sitúan fuera del cuerpo en una cavidad que se llama el escroto.

El conducto deferente

El conducto deferente es un tubo que se extiende de cada testículo hacia dentro de la uretra. Cuando se expelen los espermatozoides, entran en el conducto deferente y pasan a la uretra.

La uretra

La uretra es un tubo ubicado dentro del pene. Mientras los espermatozoides entran en la uretra, varias glándulas secretan un líquido. Este líquido ayuda a los espermatozoides a moverse con más facilidad. La mezcla del líquido y los espermatozoides se llama el semen. Se expele el semen por el pene durante la eyaculación.

La uretra también forma parte del sistema excretorio masculino. La orina pasa de la vejiga hacia fuera del cuerpo por la uretra.

Contesta las siguientes preguntas sobre el sistema reproductor masculino.

1. ¿Cómo se llaman las células reproductoras masculinas? _____ espermatozoides _____

2. ¿Dónde se producen los espermatozoides? _____ en los testículos _____

3. ¿Dentro de cuáles de los tubos entran primero los espermatozoides?

    _____ el conducto deferente _____

4. Nombra el tubo por el que salen finalmente del cuerpo los espermatozoides.

    _____ la uretra _____

Un espermatozoide tiene dos partes: una cabeza y una cola. Los espermatozoides son mucho más pequeños que los óvulos. Necesitas usar un microscopio para poder verlos.

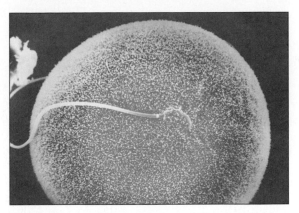

La Figura F enseña una sola célula de óvulo y varias células de espermatozoides. Fíjate en el tamaño mucho más grande del óvulo.

Figura F

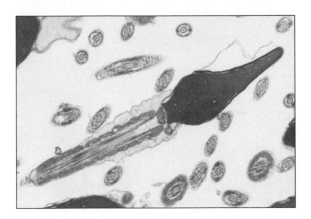

La Figura G es una fotografía aumentada de un espermatozoide. Fíjate en la cabeza y la cola del espermatozoide.

Figura G

1. ¿Para qué crees que sirve la cola del espermatozoide? _Ayuda a moverse el_

   espermatozoide.

2. ¿Tiene cola un óvulo? _no_

HACER CORRESPONDENCIAS

Empareja cada término de la Columna A con su descripción en la Columna B. Escribe la letra correcta en el espacio en blanco.

	Columna A		Columna B
b	**1.** el cuello del útero	**a)**	tubo que va desde los testículos hasta la uretra
h	**2.** los óvulos	**b)**	extremo estrecho del útero
j	**3.** los ovarios	**c)**	"bolsillo" de piel que contiene un testículo
f	**4.** el oviducto	**d)**	órgano en que se desarrolla un embrión
c	**5.** el escroto	**e)**	tubo que transporta los espermatozoides y la orina hacia fuera del cuerpo
i	**6.** los espermatozoides	**f)**	tubo largo entre el ovario y el útero
g	**7.** los testículos	**g)**	órganos principales del sistema reproductor masculino
e	**8.** la uretra	**h)**	células sexuales femeninas
d	**9.** el útero	**i)**	células sexuales masculinas
k	**10.** la vagina	**j)**	órganos que producen las células sexuales femeninas
a	**11.** el conducto deferente	**k)**	canal o conducto del parto

AMPLÍA TUS CONOCIMIENTOS

El útero es muy muscular. ¿Por qué crees que esto es importante?

Las respuestas de los estudiantes variarán. Posibles respuestas son: El útero tiene que ser

fuerte para poder sostener un embrión que se desarrolla. También tiene que ser fuerte para

contraerse y ayudar durante el parto.

¿Cómo sucede la fecundación?

27

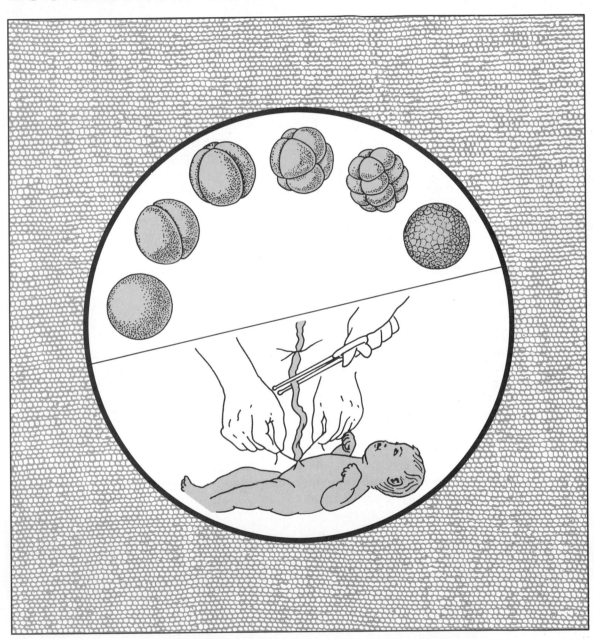

embrión: bola hueca de células formadas por la división celular del zigoto
fecundación: unión de una célula del espermatozoide y una célula del óvulo
placenta: órgano por el que un embrión recibe alimentación y elimina desechos
zigoto: óvulo fecundado producido por la fecundación

LECCIÓN 27 | ¿Cómo sucede la fecundación?

Como acabas de aprender en la Lección 26, aproximadamente una vez cada 28 días, una mujer ovula. Uno de sus óvulos sale del ovario y viaja al oviducto en su camino al útero. Los pelitos muy pequeños forran el oviducto. El movimiento de estos pelitos mueve el óvulo hacia el útero. Si va a ocurrir la fecundación, un solo espermatozoide tiene que alcanzar y penetrar en ese óvulo dentro del oviducto. La fecundación es la unión de un espermatozoide y un óvulo. (En los animales y en las plantas, esta unión se llama la fertilización.)

¿Cómo se encuentran el óvulo y el espermatozoide? Un óvulo es pasivo. No puede moverse por su propia cuenta. Una célula del espermatozoide, sin embargo, sí puede moverse. Un espermatozoide tiene una cola larga. El movimiento de esta cola mueve el espermatozoide.

¡Así empieza la carrera por la fecundación! Durante la eyaculación, millones de células de espermatozoides se expelen. Sin embargo, sólo un espermatozoide puede penetrar en el óvulo. El óvulo emite una sustancia química que atrae los espermatozoides. Los millones de espermatozoides nadan hacia el óvulo. Solamente un bajo porcentaje de los espermatozoides alcanzan el oviducto. Aún menos llegan al óvulo. Los espermatozoides que llegan al óvulo lo rodean. Cada espermatozoide intenta penetrar en el óvulo. Pero, ¡solamente puede haber un ganador!

El espermatozoide que tiene éxito penetra en el óvulo y su núcleo. En ese momento, sucede la fecundación. El óvulo desarrolla una membrana protectora alrededor de sí mismo para evitar que otros espermatozoides penetren en el óvulo.

El óvulo fecundado, o **zigoto**, empieza a dividirse. Entra en el útero y se sujeta a la pared uterina. Se prosigue con la división de la célula a un paso más rápido. Dentro de nueve meses, se nacerá una nueva persona.

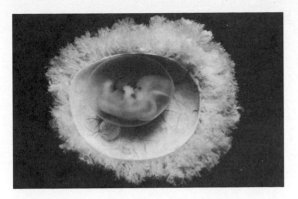

Figura E

Al cabo de unas ocho semanas, el embrión empieza a desarrollar un corazón, un cerebro y un cordón nervioso. También se forman los ojos y los oídos. Empiezan a formarse también pequeñas protuberancias que serán los brazos y las piernas con sus dedos de la mano y los del pie. El hueso empieza a reemplazar el cartílago en el esqueleto del embrión. Cuando se termina este reemplazo de hueso, el embrión se llama un feto. El feto se parece más a un bebé. El feto sigue desarrollándose rápidamente.

Al cabo de unos nueve meses, el feto está desarrollado por completo. ¡Está listo! Las hormonas en la madre hacen que el útero empiece a apretarse, o contraerse.

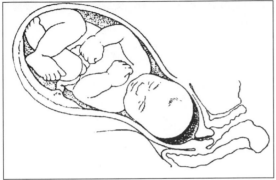

Figura F

Las contracciones del útero se llaman el parto. Las contracciones se hacen más fuertes y ocurren más frecuentemente.

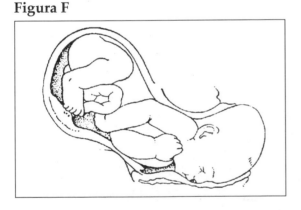

Figura G

Los músculos en la pared uterina empiezan a empujar al bebé hacia afuera.

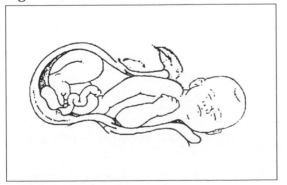

Figura H

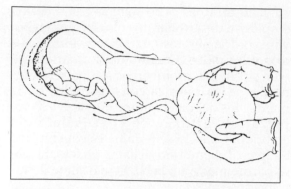

Figura I

El parto continúa hasta que el cuerpo del bebé esté empujado hacia fuera del cuerpo de la madre. Aún más contracciones expulsan la placenta del cuerpo de la madre.

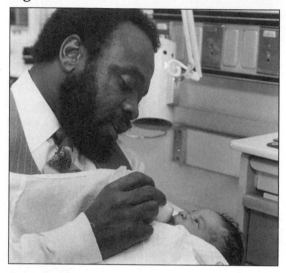

Figura J

¡Hola, nene! ¡Feliz cumpleaños!

HACER CORRESPONDENCIAS

Empareja cada término de la Columna A con su descripción en la Columna B. Escribe la letra correcta en el espacio en blanco.

Columna A	Columna B
_e_ **1.** el amnios	**a)** bola de células formada por la división celular
_a_ **2.** el embrión	**b)** óvulo fecundado
_d_ **3.** el feto	**c)** estructura que se parece a una cuerda
_f_ **4.** la ovulación	**d)** embrión en que el reemplazo por hueso se ha terminado
_c_ **5.** el cordón umbilical	**e)** saco claro y lleno de líquido
_b_ **6.** el zigoto	**f)** expulsión de los ovarios de un óvulo desarrollado

168

En el espacio en blanco, escribe la letra de la respuesta que mejor termine cada oración.

_____b_____ **1.** Un óvulo desarrollado sale del ovario y entra en el oviducto durante

a) la menstruación.   **b)** la ovulación.   **c)** la mitosis.   **d)** la fecundación.

_____d_____ **2.** El cordón umbilical une el embrión y

a) el amnios.   **b)** el cuello del útero.   **c)** el útero.   **d)** la placenta.

_____a_____ **3.** En los hombres, tanto la orina como los espermatozoides salen del cuerpo a través

a) de la uretra.   **b)** del escroto.   **c)** del gameto.   **d)** de los testículos.

_____c_____ **4.** Un embrión en desarrollo está acomodado y protegido por

a) un cordón umbilical.   **b)** los ovarios.   **c)** el amnios.   **d)** la placenta.

_____b_____ **5.** El ciclo menstrual es una serie de cambios en el sistema reproductor femenino que suceden aproximadamente

a) una vez a la semana.   **b)** una vez al mes.   **c)** una vez al año.
d) dos veces al año.

_____c_____ **6.** La nueva célula producida por la fecundación se llama

a) un óvulo.   **b)** un amnios.   **c)** un zigoto.   **d)** un oviducto.

_____b_____ **7.** Los ovarios producen hormonas y

a) espermatozoides.   **b)** óvulos.   **c)** zigotos.   **d)** orina.

_____c_____ **8.** Un embrión recibe alimentación y elimina los desechos mediante

a) el amnios.   **b)** el cordón umbilical.   **c)** la placenta.   **d)** el útero.

_____a_____ **9.** Un zigoto se sujeta a la pared

a) del útero.   **b)** del ovario.   **c)** de la vagina.   **d)** del cuello del útero.

_____c_____ **10.** El proceso por el que la sangre y el tejido de la pared uterina salen del útero se llama

a) la ovulación.   **b)** el parto.   **c)** la menstruación.   **d)** la meiosis.

_____d_____ **11.** Los órganos principales del sistema reproductor masculino son

a) las células de los espermatozoides.   **b)** las uretras.   **c)** las testosteronas.
d) los testículos.

_____d_____ **12.** Cuando se expulsa un óvulo desarrollado del ovario, éste pasa por

a) la vagina.   **b)** el cuello del útero.   **c)** el útero.   **d)** el oviducto.

_____b_____ **13.** ¿Cuál de los siguientes sólo puede suceder durante la ovulación?

a) la menstruación   **b)** la fecundación   **c)** la meiosis   **d)** la mitosis

PALABRAS REVUELTAS

A continuación hay varias palabras revueltas que has usado en esta lección. Pon las letras en orden y escribe tus respuestas en los espacios en blanco.

1. NIERMBÓ — EMBRIÓN

2. OZTOIG — ZIGOTO

3. TACNELAP — PLACENTA

4. TOEF — FETO

5. DAFEÓNCINUC — FECUNDACIÓN

AMPLÍA TUS CONOCIMIENTOS

Durante el parto, la placenta sigue unida al nene por el cordón umbilical. ¿Por qué los médicos quitan el cordón umbilical al nacer el nene?

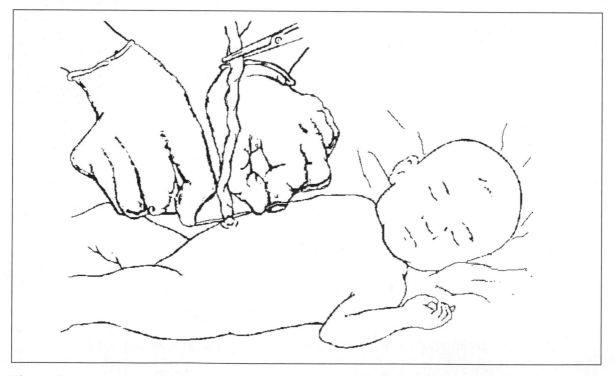

Figura K

Las respuestas variarán. Una posible respuesta es que el bebé ya no necesita el cordón umbilical.

¿Cuáles son las etapas del desarrollo humano?

28

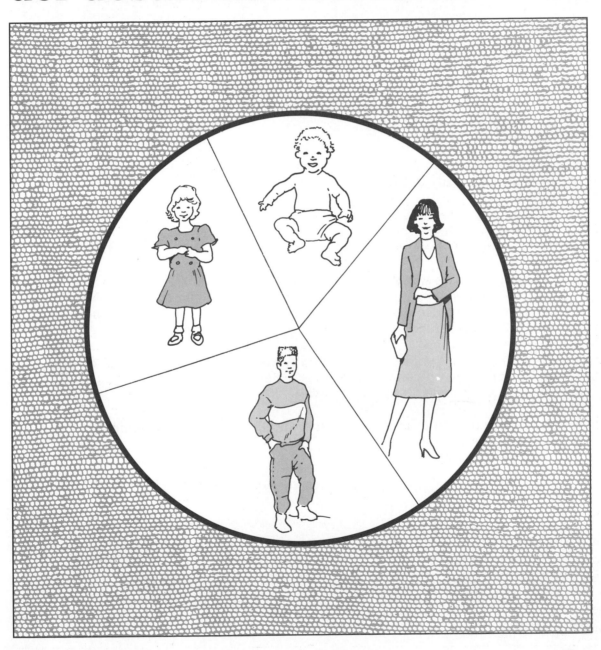

Como aprendiste en la lección anterior, un bebé en desarrollo pasa por varias etapas. Después de nacer, el desarrollo continúa. El desarrollo de los seres humanos empieza con el nacimiento y continúa hasta la vejez.

Al nacer, todos los sistemas y los órganos principales del cuerpo están en su lugar. Sin embargo, pasan muchos años antes de que todos los sistemas del cuerpo se desarrollen por completo y sean capaces de funcionar como deben.

La serie de etapas por las que pasa una persona se llama un ciclo vital. El ciclo vital humano tiene cinco etapas. Estas etapas son la infancia, la niñez, la adolescencia, la adulta y la vejez.

En cada etapa del ciclo vital humano, suceden varios acontecimientos que singularizan esa etapa.

La infancia es la primera etapa del desarrollo humano. La infancia empieza con el nacimiento y termina a los dos años. Al nacer, los bebés son indefensos. Dependen de otros para todo.

Se señala la infancia por el crecimiento rápido. El sistema muscular y el sistema nervioso se desarrollan rápidamente. Las capacidades mentales se desarrollan a medida que el bebé se esté relacionando con su medio ambiente. Para finales de la etapa de la infancia, la mayoría de los niñitos pueden caminar y pueden hablar.

Figura A

LA NIÑEZ

Generalmente, se define la niñez como el período entre las edades de 2 y 10 ó 12. Durante la niñez, ocurre el desarrollo más avanzado del sistema muscular y del nervioso. Los niños también se vuelven más altos y suben de peso. Los primeros dientes se reemplazan por los dientes permanentes. Durante este periódo, los niños se hacen más independientes. No tienen que depender de otros para ciertas actividades como lo hacían en la infancia. Los niños pueden darse de comer y vestirse. Las capacidades mentales aumentan mucho. La mayoría de los niños empiezan a leer y a escribir durante la niñez.

Figura B

La adolescencia comienza entre los 10 y 12 años. Durante esta etapa los jóvenes pasan por "explosiones" de crecimiento muy rápido. El cuerpo se pone más alto y se hace más fuerte.

También suceden otros cambios físicos. El comienzo de la adolescencia se llama la pubertad. Se desarrollan los órganos sexuales. Los caracteres sexuales secundarios también se desarrollan. Los adolescentes de los dos sexos ahora son capaces de reproducirse.

Figura C

LA PUBERTAD Y LOS CAMBIOS DEL CUERPO

Los dos órganos reproductores en que más influye la pubertad son los ovarios y los testículos. Durante la adolescencia, los ovarios y los testículos se desarrollan por completo. Los ovarios producen óvulos. Los testículos producen espermatozoides. Sin embargo, los ovarios y los testículos también tienen otra función. Fabrican hormonas. Estas hormonas las lleva la sangre a todas las partes del cuerpo. Estas hormonas ayudan en el desarrollo de los caracteres sexuales secundarios.

La hormona sexual femenina fabricada por los ovarios es el estrógeno. El estrógeno es responsable por el desarrollo de los senos, el crecimiento de pelo en el cuerpo, el ensanchamiento de las caderas y el comienzo de la menstruación.

La hormona sexual masculina producida por los testículos es la testosterona. La testosterona es responsable por la producción de espermatozoides y el semen, el crecimiento de pelo en el cuerpo, el aumento del tamaño del pene y de los testículos, el aumento del tamaño de los hombros y los músculos y el bajarse de la voz.

Para los dos sexos, el crecimiento general se disminuye después de la pubertad.

Figura D

La etapa adulta empieza generalmente entre los 18 y 21 años de edad. Se señala por el final del crecimiento físico. El desarrollo muscular y la coordinación llegan al auge durante la etapa adulta.

LA VEJEZ

Figura E

La vejez es el comienzo de los procesos del envejecimiento. Entre las edades de 30 y 50 años, el tono de los músculos empieza a disminuir. Otras señales del envejecimiento son una disminución de la coordinación y la fuerza física. Los órganos de los sentidos, tales como los ojos y los oídos, pueden dejar de funcionar tan bien como lo hacían antes. Los huesos se vuelven frágiles y se quiebran fácilmente.

Para diferentes personas, el envejecimiento sucede a diferentes edades. El comienzo del envejecimiento depende de las actitudes y de las costumbres personales del individuo. Las personas que se hayan alimentado adecuadamente y que hayan hecho ejercicio con regularidad, pueden no mostrar señales del envejecimiento hasta llegar a los 70. Las personas que fuman, que toman bebidas alcohólicas o que abusan de las drogas van a envejercerse más rápido que las personas que no lo hacen.

Por esta razón, es importante ahora pensar en el futuro. Las costumbres que adoptes ahora van a traer consecuencias al empezar el envejecimiento.

Contesta cada pregunta en los espacios en blanco.

1. ¿Cuáles son algunas de las señales del envejecimiento? la pérdida del oído, la mala vista, el debilitamiento de los músculos y los huesos

2. ¿Cuáles son algunas formas de retardar el proceso del envejecimiento? alimentarse bien, hacer ejercicios, no abusar de bebidas alcohólicas, del tabaco ni de las drogas

3. ¿Cómo podrías comparar los cambios que suceden durante la infancia con los del envejecimiento? Durante la infancia, los músculos y los nervios se desarrollan rápidamente. Durante la vejez, la fuerza muscular y la sensibilidad nerviosa se disminuyen.

4. ¿Cómo cambian los huesos durante la vejez? Los huesos se hacen frágiles y se quiebran más fácilmente.

5. Entre los 11 años y los 14 años, los niños y las niñas pasan por un período de rápidos cambios físicos. ¿Por qué? A causa del desarrollo de los órganos sexuales y la secreción de hormonas.

COMPLETA LA TABLA

Pon la letra de cada oración en la columna debajo de la etapa del ciclo vital humano que se describe. Vas a usar unas letras más de una vez.

Infancia	Niñez	Adolescencia	Etapa adulta	Vejez
g	d	c	b	b
i	h	f	e	a
			f	

a. Los sentidos se debilitan.

b. Termina el crecimiento físico.

c. Sucede la pubertad.

d. El vocabulario se desarrolla.

e. Se acaba el desarrollo muscular.

f. Se hace capaz de reproducirse.

g. Algunos órganos no están completamente desarrollados.

h. Se desarrolla la capacidad para el razonamiento.

i. Los músculos y los nervios se desarrollan rápidamente.

¿Qué significa la buena salud?

29

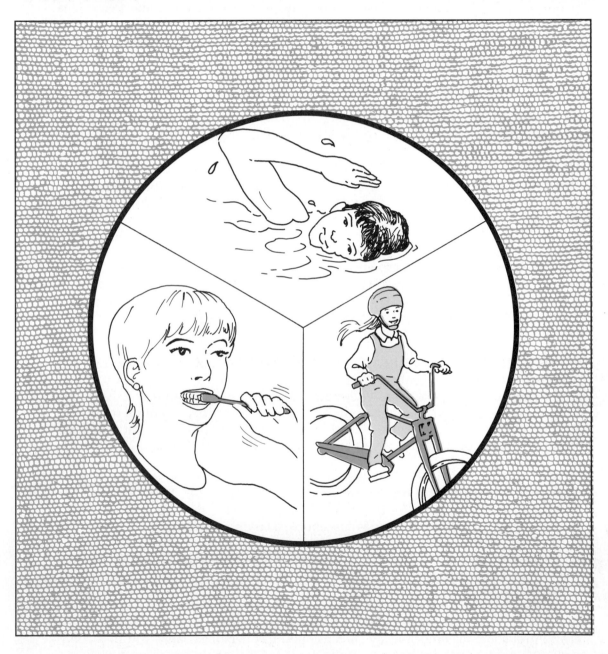

LECCIÓN 29 | ¿Qué significa la buena salud?

"¿Cómo estás?" . . . "¡Bien!" . . . Ésta es la pregunta que se hace y se contesta con más frecuencia. Pero, ¿qué quiere decir "bien"? A algunas personas significa "no estar enfermas" y nada más. Sin embargo, la buena salud significa más que "no estar enfermo". También significa sentirse feliz y tener mucha energía. Significa aceptar y adaptarse a las tensiones, las desilusiones y los desafíos de todos los días. En breve, la buena salud significa "no sólo vivir" sino DISFRUTARSE de la vida también.

Hay cuatro elementos básicos de la buena salud. Estos incluyen el descanso adecuado, el ejercicio con regularidad, la alimentación equilibrada y la conservación del peso.

UNA DIETA EQUILIBRADA Ya has aprendido acerca de tener una dieta equilibrada. Una dieta equilibrada te proporciona la energía que necesitas para las actividades diarias, el crecimiento y la conservación del cuerpo.

CONSERVAR EL PESO La cantidad de alimentos que consumes todos los días y la cantidad de energía que tu cuerpo necesita son importantes para la conservación de tu peso. Si te alimentas de más comida que el cuerpo necesite, vas a subir de peso. Si te alimentas de menos comida que el cuerpo necesite, vas a bajar de peso. Durante la adolescencia, mucha energía se dedica al crecimiento, así que es muy importante alimentar al cuerpo de la energía que necesita.

HACER EJERCICIO CON REGULARIDAD El ejercicio también se relaciona con la conservación del peso. Al hacer ejercicio, utilizas más energía. Muchas veces esto lleva a la pérdida de peso. Pero el ejercicio también es importante para la buena salud. El ejercicio hecho con regularidad fortalece el corazón y los otros músculos. Ayuda a tener una línea recta y mejora la resistencia. Cuando estás muy bien de salud y en buena forma, muchas veces gozas de mejor imagen propia.

DESCANSO ADECUADO El descanso es tan importante como los otros elementos de la buena salud. El sueño es la mejor forma del descanso. Todas las personas necesitan diferentes cantidades de descanso diario. Si no te descansas lo suficiente, el cuerpo se volverá débil y será más susceptible a las enfermedades.

La buena salud se trata no sólo del bienestar físico sino también del bienestar mental y social. Las decisiones que tomas hoy tendrán un efecto en tu salud en el futuro.

¿Cuáles son algunos de los beneficios de la buena salud? Las personas sanas tienen más energía. Los sistemas del cuerpo funcionan mejor. Las personas sanas tienen más control sobre las emociones y las tensiones. Las personas sanas son más confiadas. Gozan de una mejor imagen propia. La salud realmente buena no sucede por sí sola. Tienes que esforzarte para tenerla. ¡Los resultados valen la pena!

La buena salud se trata de más que el ejercicio, la dieta y el descanso. Otras cosas también son importantes.

Figura A *Limita la cantidad de sal y grasa en la dieta.*

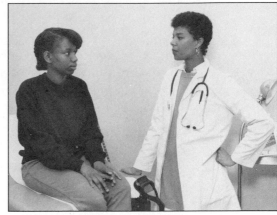

Figura B *Visita al médico con regularidad para reconocimientos físicos.*

Figura C *Límpiate los dientes y usa seda dental con regularidad. Visita al dentista para reconocimientos dentales periódicos.*

Figura D *Abróchate el cinturón de seguridad siempre que estés en el coche. Sigue las otras reglas para la seguridad en el coche.*

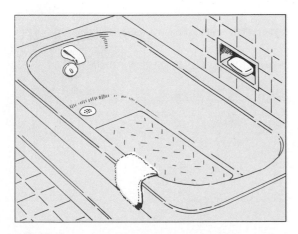

Figura E *¡Consérvate limpio! Báñate con*

Figura F *"Zona escolar libre de drogas" No fumes, no bebas, no uses las drogas.*

COMPLETA LA ORACIÓN

Completa cada oración con una palabra o una frase de la lista de abajo. Escribe tus respuestas en los espacios en blanco. Algunas palabras pueden usarse más de una vez.

se adapta	ejercicio	enfermo
alcohol	grasa	sueño
dieta equilibrada	descanso	tabaco
drogas	sal	peso

1. Si te alimentas de más comida que el cuerpo necesite para la energía, vas a subir de peso .

2. La fuente principal del descanso es el sueño .

3. El ejercicio fortalece el corazón y los otros músculos.

4. Los cuatro elementos principales de la buena salud son conservar el peso , hacer ejercicio con regularidad, tener una dieta equilibrada y recibir suficiente descanso .

5. Estar de buena salud significa más que simplemente no estar enfermo .

6. Una persona realmente saludable se adapta a los problemas de todos los días.

7. Estar de buena salud también significa "decir que no" a las drogas , al alcohol y al tabaco .

8. Intenta limitar el consumo de grasa y de sal para conservar la buena salud.

AMPLÍA TUS CONOCIMIENTOS

Hay muchos otros elementos de la buena salud que no se mencionan en esta lección.

Piensa en todos los otros que puedas. Escribe tus respuestas en los espacios en blanco.

Luego, comparte tus ideas con tus compañeros de clase. Las respuestas de los estudiantes variarán. Comente todas las respuestas con toda la clase.

¿Cuáles son los efectos de las drogas en el cuerpo?

30

droga: cualquiera de las sustancias químicas que hace cambios en el cuerpo
abuso de drogas: uso desacertado de una droga

LECCIÓN 30 | ¿Cuáles son los efectos de las drogas en el cuerpo?

¿Has tomado drogas alguna vez? Piensa antes de contestar. Una **droga** es una sustancia química cualquiera que hace cambios en el cuerpo. Las drogas pueden causar cambios físicos en el cuerpo. También pueden cambiar el comportamiento.

Las drogas o los medicamentos pueden ayudarnos también. Pueden curar e impedir las enfermedades. Pueden aliviar el dolor. Hay dos clases de drogas para el uso médico: los <u>medicamentos no recetados</u> y los <u>medicamentos recetados</u>. Las aspirinas, los antihistamínicos y los antiacídicos son medicamentos populares no recetados. Puedes comprarlos en una tienda cualquiera sin permiso de un médico. Los medicamentos recetados, sin embargo, se pueden comprar solamente con una receta por escrito del médico. Todas las drogas o los medicamentos deben tomarse con mucho cuidado. Siempre debes seguir las instrucciones en la etiqueta.

La mayoría de las personas toman las drogas inteligentemente. Desafortunadamente, algunas personas se abusan de ellas. El **abuso de drogas** es el uso desacertado de una droga. ¿Cómo se abusan de las drogas? A veces las personas toman cantidades excesivas de una droga o la toman por razones equivocadas. El uso de drogas ilegales también es el abuso de drogas. ¿Por qué crees que algunas personas se abusan de las drogas?

Muchas personas que abusan de las drogas se vuelven dependientes física o emocionalmente de la droga. Esto quiere decir que el cuerpo necesita la droga. Otros problemas del abuso de drogas incluyen la tolerancia. La tolerancia existe cuando el cuerpo se acostumbra a una droga. El individuo necesita tomar una dosis cada vez más fuerte para lograr el mismo efecto. La tolerancia puede llevar a una dosis excesiva y hasta la muerte.

Para curarse del abuso de drogas, una persona tiene que pasar por sufrimientos de carencia de la droga que solía tomar. Los síntomas de esta carencia incluyen los escalofríos, la fiebre, los vómitos y aun las convulsiones. Estos síntomas pueden durar tan poco como unos días o tan largo como unas semanas.

Hay una manera mucho mejor para evitar todos estos síntomas.

DI QUE NO A LAS DROGAS desde un principio.

Los científicos clasifican las drogas de acuerdo con los efectos que tienen en el cuerpo.

Figura A

Los estimulantes Las drogas que aceleran la acción del sistema nervioso central se llaman <u>estimulantes</u>. Los estimulantes <u>aceleran</u> el latido del corazón y el ritmo de la aspiración. Algunos ejemplos de estimulantes son la cafeína, la cocaína y la nicotina.

Figura B

La cocaína es un estimulante que se abusa con frecuencia. *Crack,* o la cocaína dura, es una forma purificada de la cocaína. Se abusa con frecuencia de la cafeína también. La cafeína se encuentra en el café, el té, los refrescos o gaseosos de cola y el chocolate. La nicotina se encuentra en el tabaco.

Figura C

Los calmantes Los <u>calmantes</u> son drogas que <u>retardan</u> la acción del sistema nervioso central. Disminuyen el latido del corazón y el ritmo de la aspiración. Grandes cantidades de calmantes pueden hacer que una persona entre en un estado comatoso o que se muera. Algunos ejemplos de calmantes son el alcohol, los barbituratos (ácidos barbitúricos) y los tranquilizantes.

Muchas veces se usan los barbituratos en los somníferos. Los barbituratos también tienen otros usos médicos.

Figura D

Los narcóticos Los <u>narcóticos</u> son drogas calmantes o sedantes que <u>se hacen de la planta del opio</u>. Algunos ejemplos de narcóticos corrientes son la morfina y la codeína. Se usan la morfina y la codeína para aliviar dolores fuertes. Otro narcótico es la heroína. La heroína es un narcótico ilegal que no tiene valor medicinal alguno.

Figura E *"La adicción es la esclavitud."*

Los alucinógenos Los <u>alucinógenos</u> son drogas que <u>trastornan o alteran los sentidos</u>. La LSD (el ácido lisérgico) y la marijuana son dos alucinógenos de que se abusan con frecuencia. Los alucinógenos hacen que una persona sienta pánico o amenaza. Por esta razón, las personas que los toman presentan peligros personales y a otras personas.

Los alucinógenos hacen que el cerebro "vea" cosas que no estén realmente presentes: figuras, diseños, colores, movimientos. Por ejemplo una persona que abusa del ácido lisérgico puede sentirse capaz de hacer lo <u>imposible</u>, tal como volar sin avión.

La marijuana es la droga de que más se abusa en los Estados Unidos. Proviene de una planta y generalmente se fuma. La marijuana hace que la persona que lo usa sufra de alucinaciones, pero también retarda el sistema nervioso central. Por esta razón, a veces se clasifica la marijuana como calmante.

Figura F

*Decide si cada droga en la tabla es un **estimulante**, un **alucinógeno**, un **narcótico** o un **calmante**. Completa la tabla al escribir el nombre del grupo al que pertenece la droga en la columna de la derecha.*

	Droga	Se clasifica como
1.	Cafeína	estimulante
2.	Barbiturato	calmante
3.	Nicotina	estimulante
4.	Cocaína dura	estimulante
5.	Marijuana	alucinógeno
6.	Cocaína	estimulante
7.	Ácido lisérgico	alucinógeno
8.	Alcohol	calmante
9.	Morfina	narcótico
10.	Tranquilizante	calmante
11.	Heroína	narcótico
12.	Codeína	narcótico

HACER CORRESPONDENCIAS

Empareja cada término de la Columna A con su descripción en la Columna B. Escribe la letra correcta en el espacio en blanco.

	Columna A		Columna B
a	**1.** una droga	**a)**	alguna sustancia química que hace un cambio en el cuerpo
c	**2.** el enviciamiento a las drogas	**b)**	droga que retarda el sistema nervioso central
b	**3.** un calmante	**c)**	dependencia incontrolable de una droga
e	**4.** el abuso de drogas	**d)**	cuando el cuerpo se acostumbra a una droga
d	**5.** la tolerancia	**e)**	uso desacertado de una droga

PARA LEER LAS ETIQUETAS DE LOS MEDICAMENTOS

Lo que necesitas (los materiales)

3 etiquetas o envases de medicamentos
sin receta

**Cómo hacer el experimento
(el procedimiento)**

1. Revisa cada una de las etiquetas.

2. Escribe el nombre del medicamento y
para qué se usa.

3. Busca las instrucciones para la dosis y
apunta la dosis.

4. Busca la fecha de vencimiento y
apúntala.

5. Apunta algunas advertencias o cautelas
que se dan para el medicamento.

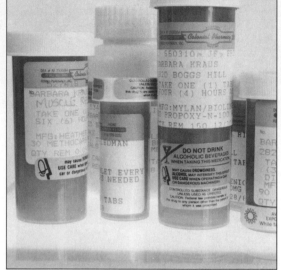

Figura G

Lo que aprendiste (las observaciones)

1. ¿Cuáles son dos cosas que se indican en las instrucciones para la dosis de un medicamento? la cantidad del medicamento que se ha de tomar; la frecuencia por la que se
toma; la cantidad máxima que no se debe exceder

2. ¿Diferen las dosis para grupos de diferentes edeades? Si dices que sí, escribe un ejemplo. Los disis diferen para los grupos de distintas edades. Los ejemplos variarán.

3. ¿Cuáles son las frecuencias para tomar el medicamento que encontraste? Las
respuestas variarán.

Algo en que pensar (las conclusiones)

1. Haz una lista de los tipos de datos que puedes obtener de las etiquetas de los medicamentos. Acepte las siguientes respuestas: la clase de medicamento; la dosis apropiada; los requistos para guardarlo; la fecha vencimiento; los síntomas que alivia
el medicamento; advertencias especiales; posibles reacciones en combinación con
otros medicamentos o con alimentos.

2. ¿Qué advertencia general se encuentra en todas las etiquetas de medicamentos?
Conserve éste y todos los medicamentos fuera del alcance de niños.

¿Cuáles son los efectos de alcohol en el cuerpo?

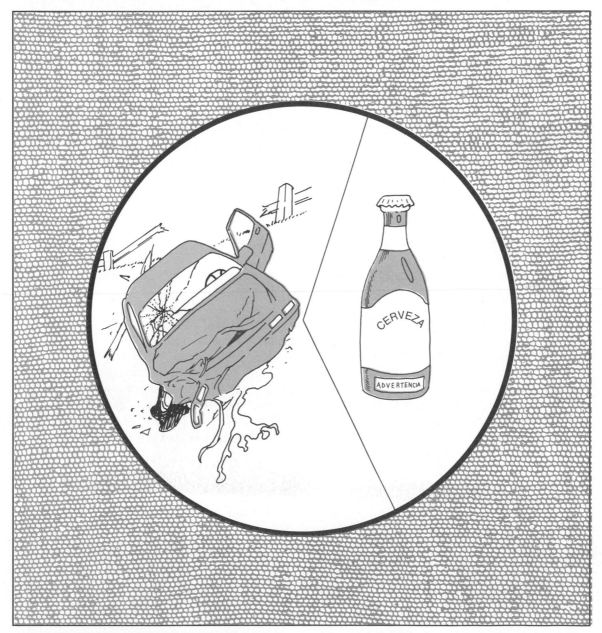

alcohólico: persona dependiente del alcohol
cirrosis: enfermedad del hígado causada por células dañadas del hígado

LECCIÓN 31 | ¿Cuáles son los efectos de alcohol en el cuerpo?

El uso, o para decirlo con más exactitud, el abuso del alcohol es un problema creciente. Requiere la atención de forma nacional. ¿Qué es el alcohol y qué efecto tiene en una persona? Simple y francamente, el alcohol es una <u>droga</u>, una droga no recetada. Es una droga que, bajo la ley, se permite comprar y usar si uno es de "la edad legal para tomar bebidas alcohólicas".

El alcohol nos rodea. ¿Cuántas licorerías y bares o cantinas hay en tu comunidad? Puedes abrir cualquiera de las revistas o los periódicos y probablemente encontrarás muchos anuncios para la cerveza y otras bebidas alcohólicas. Lo mismo sucede en la televisión.

Las personas toman por muchas razones. Toman durante las comidas, para hacerse agradables o sociables y durante las festividades. Las otras personas toman para participar en el grupo que esté de onda más popular. Otras toman para aliviar las tensiones. En realidad, si nombras un suceso o una situación, es probable que hay gente que lo utilizará como razón para tomar. Muchas veces una bebida lleva a otra y a otra y a otra. Dentro de poco, algunos individuos no hacen nada más que beber. Han llegado a ser dependientes del alcohol. Estas personas se han convertido en alcohólicas. Su cuerpo anhela el alcohol.

En esta lección, vamos a explorar los efectos del alcohol en la mente y en el cuerpo.

Muchas personas creen que el alcohol es una droga estimulante. Puede ser, pero sólo por poco tiempo. Luego el alcohol hace que el cuerpo y la mente se retarden. En realidad, el alcohol es un calmante. El abuso del alcohol ocasiona muchos problemas.

LA CONCENTRACIÓN DE ALCOHOL EN LA SANGRE

La cantidad del alcohol que está presente en la sangre se llama la Concentración de alcohol en la sangre (CAS). El efecto del alcohol en el cuerpo aumenta mientras que aumente el nivel del alcohol en la sangre. La Figura A muestra el nivel de la Concentración de alcohol en la sangre (CAS) y los efectos en el cuerpo.

Bebidas por hora	CAS (porcentaje)	Efectos
1	0.02–0.03	Sensación de relajación o desahogo
2	0.05–0.06	Pequeña pérdida de la coordinación
3	0.08–0.09	Pérdida de la coordinación, el habla indistinta y problemas en pensar
4	0.1–0.12	Falta de razonamiento, aumento del tiempo para reaccionarse
7	0.20	Dificultades de pensar, caminar, hablar
14	0.40	Pérdida de la consciencia, vómitos
17	0.50	Coma profundo; si termina la aspiración, ocurre la muerte
Una bebida = 1 oz de whisky, 4 oz de vino o 12 oz de cerveza		

Figura A *La concentración de alcohol en la sangre y sus efectos.*

1. ¿Qué significa CAS? _Concentración de alcohol en la sangre_

2. ¿A qué nivel de la CAS suceden la inconsciencia o los vómitos? _0.40_

3. ¿Cuál es el efecto de tomar una bebida? _sensación de relajación_

4. ¿Después de cuántas bebidas ocurre el habla indistinta? _3 bebidas_

5. ¿Qué cantidad de whisky es igual a 12 oz de cerveza? _1 onza_

6. ¿Qué puede resultar de una CAS de .50? _coma profundo, la muerte_

7. Si se hace una bebida con 2 oz de whisky, ¿qué nivel de CAS resultará? _0.05–0.06_

8. ¿Por qué sería peligroso conducir un coche después de tomarse 4 bebidas? _Se disminuye el razonamiento y se aumenta el tiempo para reaccionarse._

9. ¿A qué nivel de la CAS tiene una persona dificultades de pensar, caminar y hablar?

0.20

10. ¿Qué es el alcoholismo? _el enviciamiento al alcohol_

LOS EFECTOS DE ALCOHOL EN EL CUERPO

La circulación El alcohol hace daño al corazón y a los vasos sanguíneos. Los alcohólicos muchas veces sufren de enfermedades del corazón y de la hipertensión (la alta presión de la sangre). El alcohol excesivo puede retardar el latido del corazón tanto que deja de latirse.

La digestión El alcohol hace daño a la pared del esófago, del estómago y del intestino delgado. Causa úlceras. Al seguir tomando, las úlceras y el dolor se empeoran.

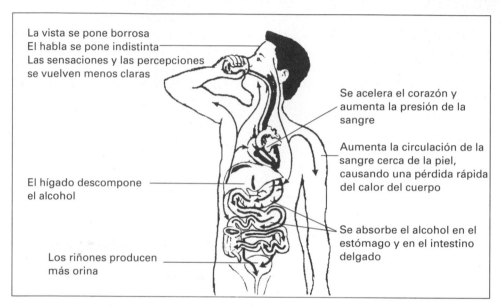

La vista se pone borrosa
El habla se pone indistinta
Las sensaciones y las percepciones se vuelven menos claras

Se acelera el corazón y aumenta la presión de la sangre

Aumenta la circulación de la sangre cerca de la piel, causando una pérdida rápida del calor del cuerpo

El hígado descompone el alcohol

Se absorbe el alcohol en el estómago y en el intestino delgado

Los riñones producen más orina

Figura B

El beber en exceso también hace daño al hígado. El alcohol destruye las células del hígado. Mientras se dañen o se destruyan las células del hígado, se reemplazan con tejido cicatrizado. Esta condición se llama la **cirrosis** del hígado. Por fin, el hígado deja de funcionar. La cirrosis del hígado es la causa principal de la muerte entre los bebedores abusivos. En la Figura C se ve un hígado dañado por la cirrosis.

Figura C _Hígado sano, hígado con mucha grasa e hígado dañado por cirrosis._

¿Qué efecto tiene el alcohol en el hígado? _El alcohol destruye las células de hígado, lo cual_

a su vez hace que el hígado deje de funcionar. La muerte puede resultar.

Aún más daño al hígado resulta de la mala alimentación. Los bebedores abusivos generalmente tienen muy malas dietas y no reciben todos los minerales y las vitaminas esenciales.

EL EFECTO DEL ALCOHOL EN LA MENTE

El alcohol produce diferentes efectos en diferentes personas. El alcohol puede alterar la personalidad del individuo. Una persona normalmente calmada puede volverse agresiva. Este cambio puede llevar al comportamiento violento.

El beber en exceso puede resultar en que se le corra a la persona de su empleo o en el divorcio y la desintegración de la familia. Algunos alcohólicos llegan a ser vagabundos sin hogar.

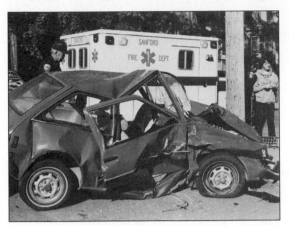

El uso y el abuso del alcohol pueden ser fatales, no sólo para el bebedor sino también para las personas inocentes. El alcohol se borra la vista, altera el razonamiento y retarda el tiempo para reaccionarse. Trágicamente, los accidentes automovilísticos que resultan de los conductores "impedidos por el alcohol" están en aumento. Aproximadamente la mitad de todas las muertes en el tráfico se relacionan con el alcohol.

Figura D

AYUDA PARA LOS ALCOHÓLICOS

El alcoholismo es una enfermedad. Sin embargo, hay ayuda para los alcohólicos y sus familias. Muchos alcohólicos reciben ayuda de grupos, tales como los Alcohólicos Anónimos. Los hijos adolescentes de padres o hermanos alcohólicos también pueden recibir ayuda de grupos como "AL-ATEEN".

Imagínate que un familiar o un amigo tuyo tiene un problema con el beber en exceso. ¿Qué harías para ayudar a esta persona? Las respuestas variarán. Acepte todas las respuestas lógicas.

AMPLÍA TUS CONOCIMIENTOS

¿Por qué crees que es peligroso combinar el alcohol y las drogas (incluso los medicamentos inofensivos como la aspirina)?

Las respuestas de los estudiantes variarán. Una posible respuesta: Nunca se sabe cómo las dos drogas se reaccionarán, una con la otra.

CIENCIA *EXTRA*

Técnico de radiología

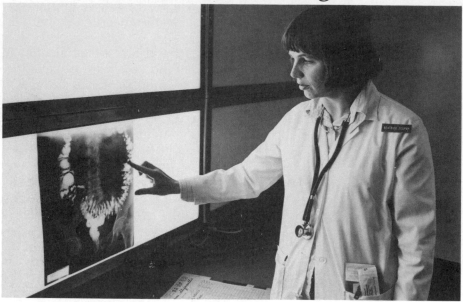

¿Te han sacado alguna vez una radiografía? Las radiografías son formas de radiación. Son importantes en muchas facetas de la medicina, sobre todo para hacer diagnósticos médicos y dentales. Hacen que los médicos y dentistas vean bosquejos de los órganos internos. Generalmente, no se pueden ver por fuera del cuerpo. Sacar una radiografía ayuda a los médicos a diagnosticar problemas sin tener que usar la cirugía.

Las radiografías no sólo ayudan a diagnosticar muchas enfermedades. También las usan para curar o tratar algunas enfermedades, como el cáncer. Primero, ayudan a diagnosticar el cáncer. Luego, las radiografías (u otras fuentes radioactivas) concentradas y bien apuntadas matan las células del cáncer. Si se diagnostica el cáncer a tiempo y si no se ha dispersado, la cura puede ser total.

Las radiografías pueden ser útiles, pero la radiación puede hacer daño a los seres vivos. Puesto que la radiación perjudica a los seres vivos, es importante regular la cantidad de radiación que se usa. Es el trabajo del técnico radiológico manejar el equipo y preparar a los pacientes para las radiografías.

Los técnicos radiológicos hacen un papel muy importante en el diagnóstico y tratamiento médico. Sus destrezas especializadas son muy solicitadas en los hospitales, las clínicas y las asociaciones médicas. Cada estado concede permisos a los técnicos radiológicos. Pero la mayoría de las reglas las establece el gobierno federal.

Si haces buen trabajo en las ciencias y las matemáticas, puedes pensar en esta profesión segura que paga bien. Para hacerte técnico radiológico, hay que terminar la escuela secundaria y también un programa de dos años para los radiólogos.

¿Cuáles son los efectos de tabaco en el cuerpo?

32

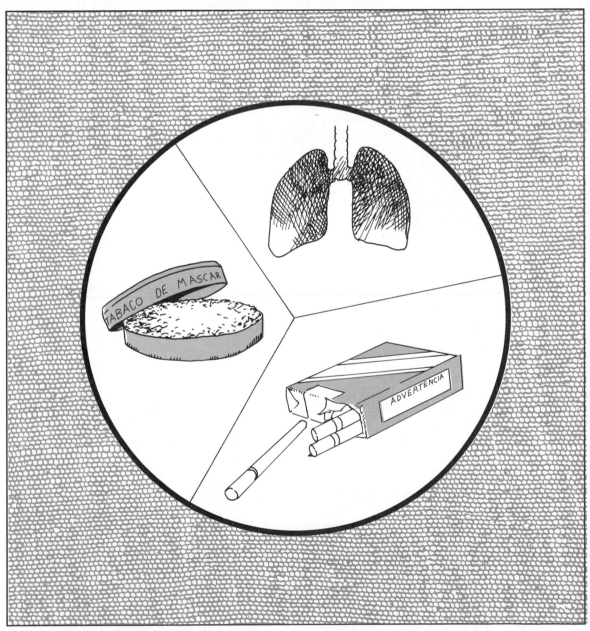

monóxido de carbono: gas tóxico producido cuando se quema el tabaco
nicotina: droga estimulante que se encuentra en el tabaco
brea: sustancia pegajosa amarillenta que se encuentra en el tabaco

LECCIÓN 32 | ¿Cuáles son los efectos de tabaco en el cuerpo?

¿Qué es el tabaco y por qué es tan nocivo para el cuerpo? ¿Te has preguntado esto alguna vez? El tabaco es la hoja desmenuzada de la planta de tabaco. En el tabaco hay más de mil diferentes productos. Muchos de estos productos son nocivos, especialmente cuando se los fume.

Tres productos de los más nocivos del tabaco son la **brea,** la **nicotina** y el **monóxido de carbono.**

LA NICOTINA   Como puedas recordar en la Lección 31, la nicotina es una droga. Es una droga estimulante. Acelera el latido del corazón, que aumenta la presión de la sangre. También, aumenta la presión de la sangre y hace daño al sistema nervioso. En grandes cantidades, la nicotina es fatal.

EL MONÓXIDO DE CARBONO   El monóxido de carbono es un gas que resulta cuando se quema el tabaco. El monóxido de carbono es un gas muy tóxico. Reemplaza los glóbulos rojos en la sangre. Como un resultado, menos oxígeno entra en las células. Esto causa mareos, somnolencia y dolores de cabeza. El monóxido de carbono puede hacer daño al cerebro.

LA BREA   La brea es una sustancia amarillenta pegajosa. Mucha de la brea se pega a los pulmones después de exhalar el humo del tabaco. Un filtro en el cigarrillo reduce la cantidad de la brea, pero no la elimina. La brea todavía entra en los pulmones.

En esta lección, vamos a aprender más sobre las diferentes formas del tabaco y los efectos que produce en el cuerpo.

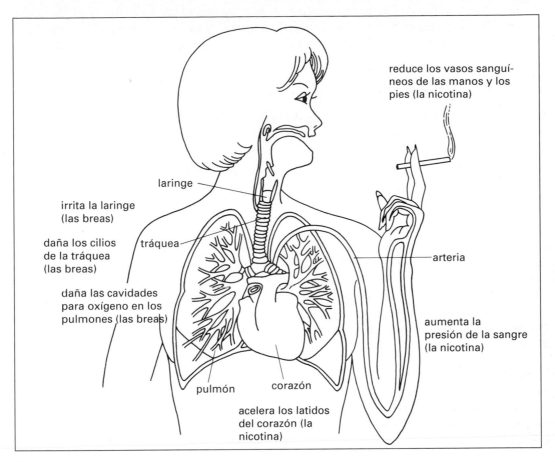

Figura A

Utiliza la Figura A y lo que ya has aprendido para contestar las siguientes preguntas.

1. ¿Qué es el tabaco? <u>las hojas desmenuzadas de la planta del tabaco</u>

2. ¿Cuáles son tres de los productos nocivos que se encuentran en el tabaco?

   <u>la brea</u>   <u>la nicotina</u>   <u>el monóxido de carbono</u>

3. ¿Cuál es el efecto en el cuerpo del monóxido de carbono? <u>reemplaza los glóbulos</u>

   <u>rojos de la sangre</u>

4. ¿Cuál es el efecto en el cuerpo de la nicotina? <u>acelera el latido del corazón, aumenta</u>

   <u>la presión de la sangre, hace daño al sistema nervioso</u>

5. ¿Qué sucede con la brea después de que un fumador exhala el humo del tabaco?

   <u>se queda en los pulmones</u>

Los productos de tabaco se han relacionado con muchos tipos del cáncer. El fumar es la causa principal de dos enfermedades fatales de los pulmones: el cáncer de los pulmones y el enfisema. Una persona que sufre del enfisema muchas veces pierde fácilmente el aliento.

El fumar cigarrillos no es el único culpable. Las personas que fuman pipas o puros también pueden padecer de cánceres. Los fumadores frecuentemente contraen el cáncer de los pulmones, de la vejiga, de los riñones, del páncreas, de la boca, de la laringe, del esófago, de la mejilla, de los labios y de la lengua.

El tabaco de mascar puede resultar en el cáncer de la boca. En realidad, el cáncer que resulta del tabaco de mascar muchas veces se desarrolla más rápidamente que las otras formas del cáncer.

¡ES MÉDICO TÚ!

Se describen a continuación los síntomas del enfisema y del cáncer de los pulmones. Lee la descripción y trata de identificar la enfermedad.

Enfermedad A   El humo del tabaco hace daño a las bolsas de oxígeno o de aire de los pulmones. Se llenan de flema. No puede entrar el aire fresco. El aire contaminado se queda atrapado y no puede salirse. Se descomponen las paredes de las bolsas de aire. De esta forma, se quedan lugares vacíos en los pulmones. Se dificulta la respiración. Se disminuye la provisión del oxígeno al cuerpo. El corazón trata de compensar al latir cada vez más fuerte y rápido. Llega el momento en que deja de latir. El resultado es la muerte de un ataque cardíaco.

Enfermedad B   Las células normales se vuelven anormales. Se reproducen rápidamente. Mientras que se reproducen, estorban y destruyen las células saludables. Las células anormales generalmente se extienden a otras partes del cuerpo. Se disminuyen tanto los procesos de vida que resulta en la muerte.

1.   ¿Cuál de las enfermedades es el cáncer? _____Enfermedad B_____

2.   ¿Cuál de las enfermedades es el enfisema? _____Enfermedad A_____

Hazte esta pregunta: "¿Vale la pena?" Si ya eres fumador o fumadora, deja de fumar AHORA MISMO, antes de que sea demasiado tarde. Si no fumas, no lo hagas NUNCA.

COMPLETA LA ORACIÓN

Completa cada oración con una palabra o una frase de la lista de abajo. Escribe tus respuestas en los espacios en blanco. Algunas palabras pueden usarse más de una vez.

nicotina	monóxido de carbono	brea
pipas	planta	corazón
puros	cáncer	tabaco de mascar
estimulante	enfisema	

1. ¿Cuáles son tres sustancias nocivas en el tabaco? ___nicotina___ ___brea___ ___monóxido de carbono___ .

2. La nicotina es una droga ___estimulante___ .

3. Una sustancia amarillenta y pegajosa es la ___brea___ .

4. El ___monóxido de carbono___ es el gas tóxico que resulta de quemar el tabaco.

5. El tabaco de los cigarrillos proviene de la ___planta___ del tabaco.

6. Otras formas de fumar incluyen el uso de los ___puros___ y de las ___pipas___ .

7. El cáncer de la boca muchas veces se relaciona con el uso del ___tabaco de mascar___ .

8. La falta de suficiente aliento es un síntoma del ___enfisema___ .

9. El ___cáncer___ es la división rápida de células anormales.

10. El fumar le somete a un gran esfuerzo al ___corazón___ .

HACER CORRESPONDENCIAS

Empareja cada término de la Columna A con su descripción en la Columna B. Escribe la letra correcta en el espacio en blanco.

	Columna A	Columna B
__d__ 1.	el monóxido de carbono	a) sustancia amarillenta y pegajosa en el tabaco
__a__ 2.	la brea	b) señalada por la falta de aliento
__e__ 3.	la nicotina	c) células anormales reemplazan las saludables
__b__ 4.	el enfisema	d) gas tóxico
__c__ 5.	el cáncer de los pulmones	e) droga estimulante

No tienes que ser fumador o fumadora para padecer de problemas relacionados con fumar. Si estás en el mismo cuarto con una persona que fuma, vas a inhalar el humo. Hay indicaciones de que este humo, que se llama el humo de segunda mano, puede ser tan dañino como el humo de fumar directamente.

Figura B *"Se puede fumar sólo en este área."*

Muchas compañías y asociaciones ahora prohíben fumar o permiten que se fume sólo en áreas limitadas. Como resultado, discuten mucho los fumadores y los antifumadores. Los fumadores dicen que tienen derecho de fumar en cualquier lugar. Los antifumadores dicen que no deben estar expuestos a los efectos nocivos del humo.

¿Quiénes tienen razón? ¿Qué opinas? En los espacios en blanco, describe tu razonamiento a favor de o en contra de los fumadores. No existe una respuesta correcta ni una equivocada, pero sí debes poder justificar o apoyar tu postura.

Las respuestas variarán. Acepte cualquiera de las dos posturas si hay suficiente justificación

para probar o desaprobar la postura.

ROPA PROTECTORA • Una bata protege la ropa de las manchas.
• Siempre sujeta la ropa suelta.

 SEGURIDAD PARA LA VISTA • Siempre hay que ponerte lentes protectoras. • Si algo se mete en los ojos, enjuágalos con mucha agua. • Asegúrate de que sabes usar el sistema de lavado de emergencia en el laboratorio.

 SEGURIDAD CONTRA INCENDIOS • Jamás debes acercarte a una llama más de lo necesario. • Nunca debes alargar el brazo por encima de una llama. • Siempre sujeta la ropa suelta. • Sujeta bien el pelo suelto. • Recuerda dónde están el apagallamas y la manta contra incendios. • Cierra los grifos (las válvulas) para el gas cuando no estén en uso. • Sigue siempre los procedimientos apropiados para encender los mecheros.

 VENENO • Nunca debes tocar, probar ni oler ninguna sustancia desconocida. Espera las instrucciones del maestro.

 SUSTANCIAS CÁUSTICAS • Algunas sustancias químicas pueden irritar y quemar la piel. Si la piel llega a tocar una sustancia química, enjuágala con mucha agua. Avisa al maestro inmediatamente.

 SEGURIDAD DE CALEFACCIÓN • Maneja objetos calientes con pinzas o tenazas o con guantes forrados de materia aislante. • Coloca los objetos calientes sólo sobre una superficie especial en el laboratorio o sobre un cojinillo resistente al calor. Nunca debes colocarlos directamente en una mesa o un escritorio.

 OBJETOS AFILADOS • Maneja los objetos afilados con cuidado.
• Nunca apuntes un objeto afilado ni a ti mismo ni a otra persona.
• Siempre debes cortar en la dirección opuesta a la del cuerpo.

 VAPORES TÓXICOS • Algunos vapores (o gases) pueden hacer daño a la piel, a los ojos y a los pulmones. Jamás debes inhalar los vapores directamente. • Siempre usa la mano para "empujar" una pequeña cantidad del vapor hacia la nariz.

 SEGURIDAD CON OBJETOS DE CRISTAL • Jamás debes usar ningún útil de cristal que sea astillado o roto. • Nunca recojas el cristal roto con la mano.

 LIMPIEZA • Lávate bien las manos después de todas las actividades en el laboratorio.

 SEGURIDAD CON ELECTRICIDAD • Nunca debes usar un aparato eléctrico cerca del agua ni sobre una superficie mojada. • No debes usar cordones ni cables si la envoltura está desgastada. • Nunca debes manejar un aparato eléctrico con las manos mojadas.

 ELIMINACIÓN DE BASURAS • Tira todos los materiales correctamente, de acuerdo con las instrucciones del maestro.

GLOSARIO/ÍNDICE

imento que el cuerpo necesita
...ollarse bien, 40

...arbono: gas tóxico producido
...ema el tabaco, 194

músculo esquelético: músculo ligado al esqueleto, que hace posible los movimientos, 20

músculo liso: músculo que hace movimientos que el individuo no puede controlar, 20

neurona: célula nerviosa, 121

nicotina: droga estimulante que se encuentra en el tabaco, 194

nutrimento: sustancia química nutritiva de los alimentos que el cuerpo necesita para el crecimiento, la energía y los procesos de vida, 26

órgano: grupos de tejidos que se juntan para realizar una función específica, 2

ovarios: órganos reproductores femeninos, 157

óvulo: célula reproductora femenina, 156

peristalsis: movimiento ondulado que hace mover los alimentos a lo largo del aparato digestivo, 55

placenta: órgano por el que un embrión recibe alimentación y expele los desechos, 166

plaquetas: pedazos de células muy pequeños y sin color que controlan la coagulación de la sangre, 76

plasma: parte líquida de la sangre, 76

proteína: nutrimento que el cuerpo necesita para fabricar y reparar las células, 32

reflejo: respuesta automática a un estímulo, 132

respiración: proceso de transportar el oxígeno a las células, eliminar el dióxido de carbono y soltar la energía, 90

respuesta condicionada: comportamiento en que un estímulo se sustituye por otro estímulo, 144

septo: pared gruesa de tejido que separa el lado izquierdo del lado derecho del corazón, 82

sistema endocrino: sistema del cuerpo que consiste en unas diez glándulas endocrinas que ayudan al cuerpo a responder a los cambios en el medio ambiente, 138

sistema excretorio: sistema del cuerpo encargado de eliminar y expeler los desechos del cuerpo, 106

sistema nervioso: sistema del cuerpo que consiste en el cerebro, la médula espinal y todos los nervios que controlan las actividades del cuerpo, 120

sistema de órganos: grupo de órganos que trabajan juntos, 8

tejidos: grupos de células parecidas que trabajan juntos para realizar una función específica, 2

testículos: órganos reproductores masculinos, 160

tráquea: tubo por el que pasa el oxígeno de la boca hasta los bronquios, 96

válvula: "solapa" delgada de tejido que funciona como una puerta que se abre en una sola dirección, 82

vellos: proyecciones como deditos en la pared interior del intestino delgado, 66

venas: vasos sanguíneos que transportan la sangre de regreso al corazón, 70

ventrículo: cavidad inferior del corazón, 82

vitamina: nutrimento que se encuentra naturalmente en muchos alimentos, 40

zigoto: óvulo fecundado producido por la fecundación, 164